DE WEDUWNAAR

brunapockets roman

344

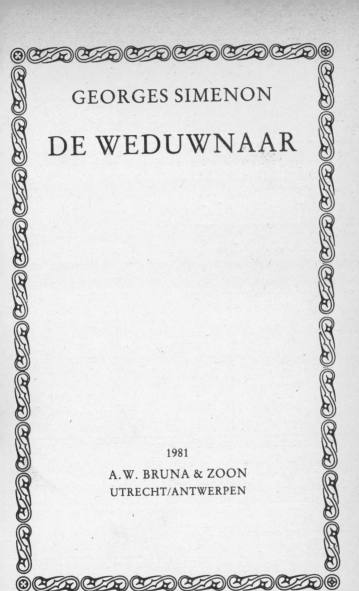

GEORGES SIMENON

DE WEDUWNAAR

1981

A.W. BRUNA & ZOON
UTRECHT/ANTWERPEN

Oorspronkelijke titel
LE VEUF
© Georges Simenon alle rechten voorbehouden
Vertaling
K.H. ROMIJN
© 1960 A.W. Bruna & Zoon Utrecht/Antwerpen
Omslagontwerp
HILKE TASMAN
Druk
TULP, ZWOLLE
ISBN 90 229 0344 3
D/1981/0939/9
CIP

CIP-gegevens
Simenon, Georges - De weduwnaar / Georges Simenon ; [vert.
uit het Frans door K. H. Romijn]. - Utrecht [etc.] : Bruna. - (Zwarte beertjes ; 344)

Oorspr. titel : Le veuf.
ISBN 90-229-0344-3

EERSTE DEEL

De vier muren

I

Hij had evenmin een voorgevoel van wat hem wachtte als de reizigers die enkele ogenblikken vóór de ramp in de trein zitten te lezen, te praten, te dommelen, te kijken naar het voorbijglijdende landschap of te eten in de restauratiewagen. Hij liep voort, zonder zich te verwonderen over de vakantieachtige aanblik die Parijs zojuist, in één dag tijds bijna, gekregen had. Gaat dat niet alle jaren zo, op dezelfde tijd, met dezelfde dagen van onverdraaglijke hitte en het onaangename gevoel van kleren die aan het lichaam vastplakken?

Om zes uur 's avonds leefde hij nog in een soort argeloosheid die vooral bleek uit een zekere leegheid. Wat had hij kunnen antwoorden, wanneer men hem op de man af gevraagd had waar hij aan dacht terwijl hij daar, boven de meeste voorbijgangers uitstekend, met grote, trage stappen voortliep?

Wat had hij gezien van de Rue François-Ier, waar hij meer dan een uur op een kantoor had zitten praten over zijn werk, in de Rue du Faubourg Saint-Honoré, waar hij een cheque geïnd had, en daarna op de hele weg naar de *Imprimerie de la Bourse* en tenslotte van daar tot de Porte Saint-Denis?

Het zou hem niet gemakkelijk gevallen zijn

daarop te antwoorden. Bussen met toeristen waren er, natuurlijk, vooral in de buurt van de Madeleine en de Opéra. Hij wist dat omdat het er het seizoen voor was, maar geen enkele was hem speciaal opgevallen en hij had niet kunnen zeggen welke kleur ze hadden. Rood, blauw, geel, ongetwijfeld. En ook, op de trottoirs, mannen zonder colbert, zonder das, in hemden met korte mouwen, met open boord, verder hier en daar Amerikanen in een wit of crème kostuum.

Hij had nergens bewust naar gekeken. Of toch wel. Hij was in de Rue du 4-Septembre voor het eerst even blijven stilstaan om zijn voorhoofd af te vegen, want hij transpireerde erg en hij droeg zomer en winter hetzelfde kostuum. Uit een soort kiesheid of welvoeglijkheid had hij gedaan alsof hij een etalage bekeek. Het was toevallig een hoedenwinkel en zijn blik was gevallen op een strohoed, de enige strohoed tussen alle andere hoeden in de etalage. Het was een zelfde hoed als die zijn vader droeg in Roubaix, in de tijd dat hij 's zondagsmorgens met zijn kinderen aan de hand ging wandelen. Een ogenblik had hij zich afgevraagd, zonder er belang aan te hechten, of de strohoeden weer in de mode kwamen, of hij er ook een zou kopen en hoe hij er wel uit zou zien met zo'n hoed op.

De tweede keer was hij stil blijven staan voor een rood stoplicht en hij had een man nagekeken die tussen de langzaam oprijdende auto's achter een handkar liep waarop een kist lag, groot genoeg om een piano te bevatten. Die gedachte

aan een piano had hem enkele seconden beziggehouden, daarop had hij hoofdschuddend naar
een jong meisje gekeken dat in een minimum
aan kleren alleen in een grote open auto reed.

Hij had geen verband gelegd tussen deze verschillende beelden, geen enkele conclusie ge-
trokken. Hij had stellig terrassen gezien, elke
keer als hij er een voorbij liep de geur van bier
geroken. Wat zou hij zich nog meer kunnen herinneren, zelfs als hij goed nadacht? Het was
bijna alsof hij niet geleefd had.

En in zijn eigen wijk, waar alles er nog ver-
trouwder uitzag voor hem, waar hij zich geheel
en al thuis voelde, had hij praktisch niets gezien.

Om zijn woning op de tweede etage van een
groot huis op de Boulevard Saint-Denis, tussen
een café en een klokkenwinkel, te bereiken had
hij de keus tussen twee ingangen. Op de boulevard was aan de kant van het café een laag
poortje en een donker en vochtig gangetje waar
de voorbijgangers langs liepen zonder het op te
merken en dat naar een geplaveide binnenplaats
van twee bij drie meter leidde waar achter de
vuile ruiten van de concierge het hele jaar door
de lamp bleef branden.

Hij kon ook door de Rue Sainte-Apolline gaan
en na het pakhuis van de expediteur een gang
inslaan die meer op de ingang van een echt huis
leek.

Als hij een paar maanden later onder ede een
verklaring had moeten afleggen, voor de rechtbank bijvoorbeeld, waar het een kwestie van

leven of dood zou zijn, dan zou hij geaarzeld hebben om te zeggen of hij de ene dan wel de andere ingang genomen had.

Maar dat zou niet gebeuren. Daar was geen sprake van. De weg die hij genomen had was van geen enkel belang, evenmin als het feit dat de concierge in haar hokje gezeten had of niet gezeten had.

De trap was donker. Sommige treden kraakten harder dan andere. Hij kende die. Hij had de muren altijd gekend met dezelfde troosteloze gele kleur en de twee bruine deuren op de eerste etage. Op de rechter was een emaille plaat: Mr. Gambier, deurwaarder. Achter de linker hoorde men altijd lachen, zingen; hij wist, omdat de deur wel eens opengestaan had toen hij er langs kwam, dat daar een tiental meisjes van een jaar of vijftien, zestien, kunstbloemen zaten te maken.

Hij ging de trap op met dezelfde regelmatige en langzame tred als waarmee hij liep. De mensen die meenden dat hij dat deed om deftiger te schijnen, vergisten zich. Die gang was niet het gevolg van zijn gezetheid of van zijn gewicht. Hij had zich aangewend op die manier te lopen omstreeks zijn twaalfde jaar, toen hij er genoeg van had gehad om door zijn schoolmakkers voor 'horrelvoet' uitgemaakt te worden.

— Waarom laat u hem geen schoenmaker worden? had hij een buurvrouw eens tegen zijn moeder horen zeggen. De meeste mensen met een horrelvoet worden schoenmaker.

Het was geen echte horrelvoet. Hij was geboren met een been dat minder sterk, iets korter was dan het andere, en toen hij nog heel jong was hadden zijn ouders orthopedische schoenen voor hem gekocht waarvan de ene metalen steunsels had.

Uit zichzelf, zonder iets te zeggen, had hij zich aangewend op een bepaalde manier te lopen en na een paar jaar kon hij schoenen dragen die bijna gewone schoenen leken. Hij hinkte niet meer.

Hij dacht daar niet aan die dag, noch aan iets anders in het bijzonder. Hij was niet moe. Hij had geen dorst, hoewel hij onderweg geen enkel café binnengegaan was.

Noch in de Rue François-Ier, bij *Art et Vie*, waar zijn werk geaccepteerd was, noch bij de Gebroeders Blumstein op de Rue du Faubourg Saint-Honoré, waar hij zijn cheque geïnd had, was er iets onaangenaams gebeurd. Nog minder op de *Imprimerie de la Bourse*, waar hij in de zo goed als verlaten werkplaats de lay-out van een reclameboekje voltooid had.

Op het portaal aangekomen greep hij niet naar zijn sleutel die hij aan een ketting in zijn zak droeg. Jeanne was in ieder geval thuis. Hij draaide de knop om. Een luchtstroom verried dat er minstens één raam openstond en dat verbaasde hem evenmin. Het leven van de Boulevard Saint-Denis drong met onverminderde sterkte de kamers binnen die, met hun lage plafonds, een klankbodem vormden, maar dat hinderde hem niet meer omdat hij er aan gewend was. Hij was immuun voor lawaai. Voor tocht ook. En hij zag 's avonds en 's nachts de violette lichtreclame van de klokkenwinkel niet eens meer, die met de regelmaat van een vuurtorenlicht aan- en uitging.

Hij zei, uit gewoonte, terwijl hij zijn leren tas en daarna zijn hoed op de tekentafel legde:
— Ik ben het.

Dat was ongetwijfeld het moment waarop alles begon, voor hem tenminste. Hij had het geluid moeten horen van een stoel die verschoof in de eetkamer waarvan de deur openstond, voetstappen, de stem van Jeanne, als een echo van de zijne. Hij bleef staan wachten, onbeweeglijk, verbaasd, maar zonder ongerustheid.
— Ben je daar?

Zelfs wanneer ze in de keuken geweest was, zouden bepaalde geluiden haar aanwezigheid kenbaar gemaakt hebben, want behalve het voornaamste vertrek, dat hij het atelier noemde, was de woning maar klein.

Later kon hij zich niet meer herinneren wat hij op dat moment gedacht had. Hij was tenslotte naar de deur gelopen. De aanblik van de eetkamer had hem onaangenaam getroffen.

Evenmin als zijn atelier, waar hij ook sliep, een echt atelier was, was ook de eetkamer geen echte eetkamer.

Ze gebruikten er wel hun maaltijden, maar er stond ook, tegen de muur, het ijzeren harmonica-bed van Jeanne, gecamoufleerd, zo goed en zo kwaad dat ging, door een oud rood-fluwelen tafelkleed. In een hoek, bij het radiotoestel, stond een naaimachine en op bepaalde dagen werd de strijkplank uit de kast tevoorschijn gehaald.

Hij had tenminste een zekere wanorde moeten aantreffen, al naar hetgeen Jeanne die middag gedaan had: de naaimachine, waar de kap afgenomen was, met klosjes garen en lapjes, of wel een bloesje of rok die ze aan het maken was, op de tafel een patroon van bruin papier, tijdschriften, erwtjes die klaar stonden om gedopt te worden.

Het kleine keukentje, met een dakraampje bij wijze van venster, was leeg en er stond geen pan op het gascomfoor, niets in de gootsteen, zelfs geen mes om groenten schoon te maken op het geruite zeil van de tafel.

Ze had niets tegen hem gezegd. Ze was niet in de badkamer die hij met zoveel moeite van het donkere kamertje gemaakt had, zes jaar geleden.

Hij ging weer terug naar zijn eigen kamer, dat wil zeggen naar het atelier, hing zijn hoed achter de deur, boven de regenjas die hij al drie weken lang niet nodig had gehad.

Voor hij ging zitten, veegde hij zorgvuldig zijn voorhoofd af, terwijl zijn blik over de daken der bussen dwaalde, die bumper aan bumper reden en bijna één compacte massa leken, toen naar een dichte groep mensen die op de hoek van de boulevard plotseling uiteengingen om haastig het kruispunt over te steken.

Hij wist eerlijk gezegd niet wat te doen. In zijn leren fauteuil gezeten, met zijn benen gestrekt, staarde hij naar de klok met koperen slinger tegenover hem, die kwart over zes aan wees. Onbewust zocht zijn hand op de tafel naar het avondblad dat daar had moeten liggen, want Jeanne ging gewoonlijk tegen vijven naar beneden om dat te halen, tegelijk met wat ze nog nodig had voor het avondeten.

Het was onbegrijpelijk. Nog niet dramatisch of verontrustend. Het was alleen een vervelende gewaarwording. Hij was geen teleurstellingen gewend en hij kon niet goed hebben dat iemand, zelfs al was het Jeanne, invloed op zijn gemoedsrust uitoefende.

Hij stak een sigaret op. Hij rookte er tien per dag. Hij had een gevoelige keel en hij droeg grote zorg voor zijn gezondheid hoewel zonder maniakaal te worden. Van tijd tot tijd schrok hij op: de geluiden die het huis binnendrongen klonken anders dan op andere dagen. Hij had in zijn krant verdiept moeten zitten, dezelfde sigaret rokend, de achtste, want de twee laatste bewaarde hij voor na het eten.

Wat er ontbrak, waren voetstappen, heen en weer geloop in de keuken, en in de deuropening de gestalte van Jeanne die af en toe zonder iets te zeggen, even naar hem kwam kijken.

Al zeiden ze weinig tegen elkaar, toch wist elk van beiden op ieder gegeven ogenblik waar de ander zich bevond in huis en wat hij deed.

— Ze zal even naar boven, naar juffrouw Couvert

gegaan zijn! zei hij tenslotte opgelucht tot zichzelf.

Het was dom dat hij daar niet eerder aan gedacht had. Jufrouw Couvert, die vijfenzestig jaar was en die vanwege haar ogen nog maar zelden buiten kwam, woonde vlak boven hen en ze had vier jaar geleden een kind bij zich in huis genomen, familie van haar, een wees, als Jeantet het goed begrepen had.

Dat hij niet meer van die jongen af wist, kwam omdat hij altijd maar met een half oor luisterde naar wat hem verteld werd, niet zozeer uit onverschilligheid jegens anderen als wel uit bescheidenheid, uit kiesheid.

De jongen heette Pierre, hij was tien jaar en vroeg vaak of hij beneden mocht komen zitten, tegenover Jeanne, om zijn huiswerk te maken.

Andere keren ging Jeanne naar boven om de oude juffrouw een handje te helpen, die nog wel naaide maar niet meer durfde te knippen.

Het was doodeenvoudig. Hij behoefde maar even op de tafel in de eetkamer te kijken. Ze had daar natuurlijk een briefje voor hem neergelegd, zoals gewoonlijk in die gevallen: *Ik ben bij juffrouw Couvert. Ik kom zo beneden.*

Hij was er zo zeker van dat hij eerst zijn sigaret oprookte alvorens in het vertrek er naast te gaan kijken. Er lag geen briefje. Hij keek in de hangkast. Veel kleren had zijn vrouw niet, zodat het niet moeilijk was om te zien wat ze die dag droeg. Bovendien, daar zijn vrouw haar japonnen en haar mantels zelf maakte, had hij de stof

13

altijd dagen en soms weken lang onder de ogen terwijl hij de kledingstukken langzaam onder haar handen vorm zag krijgen.

In ieder geval had ze zich niet gekleed om echt uit te gaan, om de stad in te gaan, zoals ze dat noemde, want haar twee goede jurken hingen er, evenals haar strogele mantelpakje. Ze moest haar oude zwarte jurk aanhebben die ze in huis afdroeg, en haar oude schoenen die ze als pantoffels gebruikte.

Ze was dus ergens in de buurt. Of ze was toch boven maar had vergeten een briefje voor hem achter te laten. Hij had naar boven kunnen gaan, bij juffrouw Couvert aankloppen. Maar daar hij dat nog nooit gedaan had, zou het lijken of er iets heel belangrijks aan de hand was.

Hij kon ook naar beneden gaan, bij de concierge gaan informeren. Maar Jeanne en zij spraken niet met elkaar en bovendien, als Jeanne door de Rue Sainte-Apolline weggegaan was, kwam ze niet langs de loge. Het was geen huis zoals andere huizen. De concierge was niet helemaal een echte concierge. Meestentijds hielp ze haar man stoelen matten op de vochtige binnenplaats en de loge diende eigenlijk alleen maar als plaats waar de post van de huurders afgegeven werd.

Nu hij toch eenmaal opgestaan was, ging hij in de keuken een glas water drinken en liet de kraan zo lang lopen tot het water koud geworden was.

Hij kwam niet op het idee om te gaan werken, of te gaan lezen. Hij aarzelde of hij weer zou gaan zitten. Zijn atelier leek hem minder gezellig dan anders. Toch kende hij het tot in alle hoekjes en gaatjes! Alle dingen, tot het eenvoudigste voorwerp toe, had hij zo trachten te plaatsen dat hij het maximum aan voldoening verkreeg en daar was hij in geslaagd.

Met vier muren — of eigenlijk zes, want aan de kant van de Rue Sainte-Apolline was er een kleine uitspringende ruimte, een soort alkoof, met een divan waar hij sliep — had hij een wereldje opgebouwd waar hij zich geheel en al thuis voelde en dat hem naar zijn beeld geschapen scheen.

De muren waren wit gekalkt, als in een kloostercel, en twee tekentafels, een grote en een kleine, riepen de gedachte op aan een rustig en vredig handwerk.

Al schilderde hij geen madonna's, op de wijze van Fra Angelico, met niet minder toewijding tekende hij letters, opschriften voor fraai uitgegeven tijdschriften zoals *Art et Vie*, versierde initialen en vignetten voor werken in beperkte oplage.

Bovendien was hij sedert verscheidene jaren bezig met een werk van lange adem, het ontwerpen van een nieuw lettertype, zoals er eens in de twintig of vijftig jaar ontworpen wordt, en dat zijn naam zou dragen.

Uitgevers en krantenmensen zouden het geregeld hebben over: een Jeantet, zoals men spreekt over een Elzevier, een Auriol, een Naudin ...

15

De muren begonnen al bedekt te worden met bepaalde letters die in prachtig zwart met Oost-indische inkt vergroot getekend waren.

Maar daar keek hij niet naar en evenmin naar de zilverkleurige ruggen van de bussen die zo vanuit de hoogte gezien op walvissen leken, noch naar de Porte Saint-Denis die in de gouden gloed van de zon van terracotta scheen.

Hij was maar weer gaan zitten. 'Zijn' fauteuil, die hij na maanden zoeken op de rommelmarkt op de kop getikt had, had een geschiedenis. Ieder voorwerp had zijn eigen geschiedenis, ook de klok met haar zeegroene wijzerplaat en Ro-meinse cijfers uit de tijd van Louis-Philippe, die nu zeven uur aanwees.

Men hield hem vaak voor een zwakkeling zonder fut en zonder wil, dat wist hij, en het was waar dat zijn grote lichaam die indruk wekte. Hij was niet gezet, nog minder zwaarlijvig, maar het leek of bij hem de steun van een stevig ge-raamte ontbrak. Alle lijnen waren gebogen, wij-kend, en zo was het al toen hij nog op school was en in het speelkwartier altijd eerder buiten adem was dan de andere jongens.

De mensen konden niet vermoeden dat er even veel leven in hem was als in hen, meer misschien, dat de geringste emotie hem in een soort paniekstemming bracht. Zijn bloed scheen niet meer de gewone weg te volgen; onbestemde, geheimzinnige dingen woelden in zijn borst; plotseling werd een van zijn vingers gevoelig, pijnlijk, een soort kramp leek het, dan opeens werd een van zijn schouders helemaal stijf, en zoiets eindigde dan bijna altijd met een onaangenaam gevoel van hitte in zijn achterhoofd vlak boven zijn nek.

Hij maakte zich er niet ongerust over, sprak er met niemand over, zelfs niet met de dokter, nog minder met Jeanne. Hij wachtte stilletjes af tot het weer overging. Het was trouwens allang geleden dat hij het voor het laatst gehad had, of anders toch in zeer lichte mate, na een teleurstelling en, vooral, na een vernedering. Dat was niet helemaal het juiste woord. Het kwam, om precies te zijn, wanneer hij het gevoel had dat men hem miskende, dat hij op onbillijke wijze in een hoek geduwd werd, dat men hem met opzet wilde kwetsen.

Dan zou het voldoende geweest zijn als hij iets teruggezegd had. Hij zocht naar woorden, trachtte moed te verzamelen om ze uit te spreken, maar het gevoel van zijn onmacht maakte dan dat hij het plotseling weer voelde opkomen.

Dat was op dit ogenblik niet het geval. Er gebeurde niets. Jeanne zou zo thuiskomen. Hij bleef zitten luisteren of hij haar stap niet op de trap hoorde. In gedachte zag hij haar naar boven komen, blijven staan op het portaal, haar tasje openen ...

Eén bijzonderheid was hem opgevallen: hij had zijn sleutel niet behoeven te gebruiken om naar binnen te gaan. Maar hij kon zich niet één keer herinneren dat Jeanne uitgegaan was zonder de deur op slot te doen.

— In een buurt zoals hier ... zei ze altijd.

Zelf was hij nooit bang geweest voor dieven.

Hij wachtte nu al meer dan een uur, dus ze was uit. Er was iets gebeurd. Het hoefde niet iets ernstigs te zijn, alleen maar iets onverwachts. Hij kon het niet meer uithouden in zijn stoel. Omdat hij het gevoel had dat er een prop in zijn keel zat, ging hij nog een glas water drinken in de keuken, ging toen de deur uit, zonder zijn hoed.

Daar hij nog niet naar juffrouw Couvert durfde te gaan, daalde hij de twee trappen af, liep naar het binnenplaatsje waar de lamp van de loge als een gele vlek achter de vuile ruit te zien was. Hij klopte aan zonder naar binnen te kijken, want met één oogopslag had hij gezien dat de man op een stoel zat en een voetbad nam, vlak bij de tafel die gedekt was voor het avondeten.

— Mélanie! riep de man zonder zich te verroeren.

En een stem die van achter een gordijn kwam dat als tussenschot diende:

— Wat is er?

— Een van de huurders.

— Wat wil hij?

— Dat weet ik niet.

Hier verbaasde hij zich voor het eerst en hij kreeg het gevoel dat hij een ontdekking deed. Het is waar dat hij zelden bij de concierge kwam aankloppen. Hij zag plotseling twee menselijke wezens leven in dat slecht verlichte hok, twintig meter van de menigte af die over de Boulevard liep en van de mensen die zaten te drinken op het terras van het café waar zaterdagsavonds en zondags een orkestje van vier of vijf man muziek maakte.

De vrouw kwam uit het donker naar voren, klein, afgeleefd en met de harde blik van een wantrouwend dier. Ze deed de deur niet open, schoof alleen een ruitje opzij dat als loket dienst deed.

— Als er post voor u was had ik die wel boven gebracht!

— Ik had u willen vragen of ...

— Nou, zegt u het maar! Wat wilde u?

Hij was van te voren al ontmoedigd.

— Ik wilde u alleen maar vragen of u mijn vrouw uit hebt zien gaan ...

— Ik bemoei me niet met wat de huurders doen, en met wat de vrouwen doen nog minder.

— Ze heeft zeker niets tegen u gezegd?

— Als ze me wat gezegd had, dan zou ik haar ook een en ander gezegd hebben!

— Ik dank u wel.

Hij zei dat niet ironisch, maar uit gewoonte, omdat zo zijn aard was. Ze had hem zonder reden gegriefd. Hij nam het haar niet kwalijk. Als iemand ongelijk had, dan was *hij* dat. Hij liep het donkere gangetje met de lichte opening aan het einde door, de Boulevard op, en wandelde om zijn ongeduld te kalmeren door de Porte Saint-Denis en de Rue Sainte-Apolline terug.

Het was hier enigszins alsof men langs de achterkant van een décor liep. Het waren dezelfde huizen, die aan weerskanten uitkwamen.

Op de Boulevard Saint-Denis zag men aanlokke-
lijke etalages, restaurants met veel verguldsel en,
's avonds, een overdaad van lichtreclames in alle
kleuren.

In de Rue Sainte-Apolline, handwerkslieden,
de expediteur, verder op een schoenmakers-
werkplaats naast een wasserij waar de hele dag
vrouwen stonden te strijken, terwijl op het trottoir aan de overkant twee of drie meisjes op heel
hoge hakken heen en weer liepen voor een huis
waar kamers per week en per uur verhuurd
werden, en waar mannen in het halfdonker van
een kroegje kaart zaten te spelen.

Niemand kende hem. Maar hij kende iedere
gestalte, ieder gezicht omdat hij ze gadegeslagen
had vanuit zijn venster.

Had Jeanne nu geen tijd genoeg gehad om
weer thuis te komen terwijl hij zo rondliep? Om
meer kans te maken besloot hij om weer terug
te lopen, en dan weer terug. Bij de derde keer
bleef hij stilstaan voor de melkwinkel waar Jeanne altijd kocht en die nog open was. Er werden
niet alleen boter, kaas en eieren verkocht, maar
ook gekookte groenten voor de mensen die geen
tijd hebben om zelf te koken of die op een hotelkamer wonen en daar niet mogen koken.

— U heeft mijn vrouw zeker niet gezien, mevrouw Dorin?

— Niet na vanmorgen toen ze inkopen kwam
doen, nee.

— Dank u wel.

— U bent toch niet ongerust, wel?

— Neen, natuurlijk niet.

Terwijl hij dat zei had hij moeite om niet te huilen, van zenuwachtigheid.

Het was een geval van dat soort machteloosheid waar hij zo slecht tegen kon. Jeanne was ergens. Er was waarschijnlijk niets ernstigs: ze was ergens opgehouden, had iets vergeten, of er was een of ander misverstand, iets toevalligs ...

Waarom zou hij niet, terwijl hij wachtte, naar boven gaan en wat eten van wat er in de keukenkast stond? Of het eerste het beste restaurant binnenstappen? Of wel, als hij geen honger had, in zijn stoel gaan zitten lezen?

Hij vergat het avondblad te kopen, ging naar huis terug, waar nog steeds niemand was en waar in een der vensters een rode gloed begon te komen. De dag scheen hem langer toe dan andere dagen. Het was bij achten en de zon scheen maar niet onder te willen gaan, de mensen zaten nog steeds op de terrassen bier en aperitieven te drinken, de mannen liepen nog zonder colbert rond.

Het kwam nooit voor dat Jeanne niet goed werd. Het was onwaarschijnlijk dat ze op straat flauw gevallen was en zelfs als dat gebeurd was had ze toch haar identiteitsbewijs bij zich. Sedert twee jaar hadden ze een telefoonaansluiting.

Hij keek naar het toestel op tafel terwijl hij zijn wenkbrauwen fronste. Als ze opgehouden was, als ze om de een of andere reden nog niet naar huis kon komen, waarom belde ze dan niet op?

Moest hij daaruit opmaken dat ze aan juffrouw Couvert een boodschap had gegeven omdat ze ervan overtuigd was dat hij daar zou gaan informeren?

Hij geloofde er niet in, maar liep toch dat gedeelte van de trap op dat hij niet kende, zag een zinken plaatje met de naam van de oude juffrouw en daaronder het woord *Naaister*.

Terwijl hij op de mat stond en aarzelde of hij zou aankloppen, hoorde hij geluiden van borden, de stem van de jongen, Pierre, die aandrong:

— Wat denkt u? Kan ik er heen gaan?

— Ik weet het niet of het al kan. Misschien.

— Is er meer kans van ja dan van neen?

— Het is mogelijk. Ik zou ook liever ja zeggen.

— Waarom zegt u dat dan niet?

Hij klopte, voelde zich beschaamd dat hij ongewild geluisterd had.

— Ik ga wel! riep de jongen.

En plotseling vloog de deur wijd open, de bladen van een geïllustreerd tijdschrift op een tafeltje bewogen in de tocht, en zelfs de grijze haren van de oude vrouw die opgehouden was met eten.

— Het is meneer Jeantet! kondigde Pierre aan.

— Neemt u me niet kwalijk ... Ik dacht dat mijn vrouw soms een boodschap voor mij bij u had achtergelaten ...

De jongen keek hem aan met een blik die veel te wijs was voor zijn jaren, keek dan naar juffrouw Couvert, aarzelde of hij de deur weer zou sluiten.

— Is ze niet thuis gekomen? verwonderde de naaister zich.

— Neen. Wat me verbaast ...

Maar wat voor zin had het dat uit te leggen? Jeanne en hij hadden bepaalde gewoonten die voor een ander niet logisch behoefden te zijn en waarom men misschien zou lachen. De woensdag, dat was zíjn dag, de dag waarop hij de zaken langs ging waarvoor hij werkte, zoals hij deze middag gedaan had.

Er was geen enkele reden waarom Jeanne, als ze boodschappen te doen had, niet op dezelfde dag de stad in zou gaan, maar dit was in acht jaar nog nooit voorgekomen, voorzover hij wist.

Trouwens, ze kwam zelden buiten hun wijk en als dat het geval was, wanneer er een meer of minder belangrijke aankoop gedaan moest worden in een van de grote zaken in de Rue La Fayette of elders, dan sprak ze daar een paar dagen van tevoren al over.

En dan ging ze daar niet heen in haar oude zwarte jurk.

— Komt u niet even binnen?

— Nee, dank u. Ze zal wel thuis gekomen zijn terwijl ik hierheen kwam ...

Maar ze was niet thuisgekomen en het licht in het appartement veranderde naarmate de zwarte wijzers van de klok voortschreden. In de lucht boven de daken kwam een hard groen langzaam het roze van de ondergaande zon vervangen waarvan op enkele lichte wolken nog sporen overbleven.

Toen hij dat zag kwam er angst over hem, een bijna fysieke angst, en daar hij het niet meer uit kon houden greep hij zijn hoed, ging naar beneden en stortte zich in de menigte met een snellere stap dan gewoonlijk, waardoor hij weer hinkte.

Voor anderen zou het eenvoudig geweest zijn: die zouden naar hun ouders gaan, naar een zuster of schoonzuster, of naar collega's.

Voor hen niet. Zij hadden niemand, buiten jufrouw Couvert en de jongen die hem met een peinzende blik nagekeken had toen hij weer naar beneden ging.

De voetgangers, paren en hele gezinnen, liepen over de gehele breedte van de trottoirs en bewogen zich voort met de traagheid van een rivier, en de stroom werd nog trager op de plaatsen waar de terrassen een deel van het trottoir in beslag namen. Er begonnen al minder auto's te rijden. Hoewel het nog volop licht was, gingen de lichten van de bioscopen al aan en er begonnen zich magere rijtjes te vormen voor de loketten.

Hij verliet de Boulevard en sloeg rustiger straten in waar hier en daar oude mensen stoelen op het trottoir hadden gezet om van de koelte te genieten. Winkels die nog open waren verspreidden hun geuren in de straat en overal hoorde men mensen praten.

Hij kwam in de Rue Thorel, zag het grauwe officiële gebouw met de vlag die slap aan de stok naar beneden hing, de fietsen van de agenten, twee politiemannen die naar buiten kwamen terwijl ze hun koppel vastgespten. De ene keek hem aan alsof zijn gezicht hem ergens aan deed denken, stapte tenslotte op zijn fiets zonder het antwoord gevonden te hebben.

Hij trad het politiebureau binnen waar evenals bij de concierge de lichten aan waren en waar rook van sigaretten en pijpen hing. Een man van onbestemde leeftijd trachtte iets uit te leggen over een soort toonbank van zwart hout heen, waarboven een uniformpet uitstak.

— Heeft u nu een werkvergunning, ja of neen?

— Meneer de agent . . .

Dit was zo ongeveer het enige wat hij in het Frans wist te zeggen. Verder gebruikte hij onbegrijpelijke woorden, maakte gebaren, stalde met handen die beefden van nervositeit, papieren uit die sporen van vuile vingers droegen en die ineengefrommeld in een broekzak bewaard werden.

— . . . heeft mij gezegd . . .

— Wie heeft je wat gezegd?

Zijn gebaren schenen te moeten uitdrukken dat hij een heel lang iemand bedoelde, of iemand die hooggeplaatst was.

— . . . meneer . . .

— Hij heeft je toch zeker niet gezegd, dat dit een werkvergunning was?

Geen enkel papier was het goede. Er waren witte papieren, rose, blauwe, in het Frans en in een of andere vreemde taal.

— Hoeveel geld heb je?

Hij begreep het woord 'geld' zelfs niet en

achter hem stond een jonge vrouw te trappelen van ongeduld terwijl ze tegen de agent gebaren maakte.

De agent liet hem bankbiljetten zien. De man begreep hem, haalde er ook uit zijn zak, een handvol, verfomfaaid en kleverig, en daarop enkele geldstukken die hij in een rijtje op de toonbank legde.

— Dat is misschien genoeg om je geen landloperij ten laste te leggen, maar ver kom je daar niet mee en we zullen je over de grens moeten zetten. Hoe kom je aan dat geld?

— Ach, brigadier, kwam de jonge vrouw tussenbeide. Ik moet om kwart voor negen in de schouwburg zijn en ...

Ze droeg een japon die bijna geheel doorzichtig was.

— Ga daar maar zitten, zei de agent tegen de man, terwijl hij op een bank wees die tegen de muur stond.

Hij liep er heen, berustend, zonder iets te begrijpen, zich afvragend wat ze met hem zouden doen. Hij kwam ook ergens vandaan, om een reden die alleen hij zelf wist...

Jeantet beet zich op de lippen. Die vrouw, die wist wat ze wilde.

— Ik kom alleen maar even om een handtekening te laten legaliseren.

— Woont u in deze wijk? Heeft u een domiciliebewijs?

— Zeker, ik heb het bij me. Het is getekend door de concierge.

Ze deed haar tas open en er kwam een wolk van parfum uit.

— Ik ga op tournée en ik heb een pas nodig. Dus...

— Op tournée!... Dat is niet gek!... Komt u morgen nog maar even langs... De commissaris is er niet om deze tijd...

Twee andere agenten zaten ieder voor een bureau, deden niets, verroerden zich niet.

— En u, meneer?

— Kunt u mij ook zeggen of er vanmiddag een ongeluk gebeurd is?

— Wat voor soort ongeluk?

— Ik weet het niet... Een verkeersongeluk, misschien?

Er was een man binnengekomen, niet aan de kant van het publiek, maar aan de andere, een zware man met een gezicht dat glom van het zweet en een hoed op zijn hoofd. Hij gaf de anderen vluchtig de hand, bleef toen door de rookwolken van zijn pijp heen naar Jeantet staan kijken.

— Dat soort ongelukken hebben we iedere dag... Waarom wilt u dat weten?

— Mijn vrouw is niet thuis gekomen.

— Hoe lang is ze al weg?

— Ik ben vanmiddag om twee uur de deur uitgegaan en toen was ze nog thuis.

— Wat doet ze, uw vrouw?

— Niets... het huishouden...

— Bij anderen?

— Neen, thuis.

— Is ze tweeënvijftig jaar?

— Achtentwintig.

— O, dus dan is ze dat niet. De vrouw die vier uur tien in de Rue d'Aboukir overreden is, is tweeënvijftig... Posetti heet ze...

Nog altijd had hij dat gevoel van machteloosheid! Hij kon zelfs niet bedenken wat hij vragen moest. Men hielp hem niet. De gezichten waren zonder uitdruking.

— Ging ze er wel eens meer een poosje vandoor?

— Neen.

— Nu, waar maakt u zich dan ongerust over?

Terwijl hij probeerde te begrijpen wat de ander bedoelde werd hij van achter aangesproken door de nieuw aangekomene, de man met het glimmende gezicht en met een pijp die een doordringende geur verspreidde.

— Bent u niet degene die op de Boulevard Saint-Denis woont?

— Ik woon op de Boulevard Saint-Denis, ja.

— Op de tweede étage, boven de klokkenwinkel?

— Ja.

— Kent u mij niet meer?

Jeantet keek hem aandachtig aan, maar geruime tijd al scheen alles hem onwezenlijk. Hij had dat gezicht al eerder gezien, met die uitdrukking van een ietwat vulgaire zelfverzekerdheid, met iets gemoedelijks en toch iets agressiefs.

— Inspecteur Gordes. Zegt dat u iets?

Een vurig rood steeg hem naar de wangen.

— Ja.

— Ik heb u al eens een dienst bewezen. Ofschoon

u mijn raad niet opgevolgd hebt. En, wat is er nu eigenlijk precies aan de hand?

— Ze heeft een ongeluk gehad.

— Nog altijd dezelfde?

— Ja.

— Wanneer?

— Vanmiddag.

— Waar?

— Dat weet ik niet. Daarom kom ik juist hier.

— Bedoelt u dat ze niet thuisgekomen is?

Hij boog het hoofd. Hij kon niet meer. Hij zag ze allemaal lachen, behalve de vreemdeling die midden op de bank zonder leuning zat en in zijn witte, blauwe en rose papieren zocht wat er toch wel aan kon haperen.

II

Misschien waren ze zo kwaad niet maar bezagen het leven alleen maar vanuit een andere gezichtshoek. Misschien zelfs was het slechts een kwestie van beroep en was die streng zakelijke en verlammende atmosfeer die Jeantet onwezenlijk vond en die hem zo uit het veld geslagen had, hun gewone dagelijkse atmosfeer?

Zij hadden natuurlijk ook, zoals in alle beroepen, hun vaktaal, woorden die alleen voor henzelf betekenis hadden of die bij hen een andere betekenis hadden, zoals men op de *Imprimerie de la Bourse* sprak van het vlees, de baard, vet en mager, onder- en bovenkast, bijvoorbeeld. Zijn er niet mensen voor wie de corrigeersteen in een drukkerij, de zware drukramen, het lood waarmee met grauwe vingers gewerkt wordt, saaie of sombere, dreigende dingen zijn?

Hij nam niemand iets kwalijk maar deed zijn best, evenals de vreemdeling op de bank, om begrepen te worden, contact te vinden. Maar al heel spoedig had hij het gevoel dat hij in de ruimte sprak en dat hij even goed zijn lippen zou kunnen bewegen zonder geluid te maken.

— Luister eens, inspecteur ...

Die zwarte slagboom, waar de goede wil van tienduizenden op gestuit was, hinderde hem, en ook de blik van de drie zwijgende agenten die de rol van figuranten in een huiselijk tafereeltje leken te spelen.

— ... Ik weet zeker dat ze een ongeluk gehad heeft ... Misschien is het niet in het II^{de} Arrondissement gebeurd ...

— Hebt u al in het III^{de} geïnformeerd?

Hun huis stond bijna op de grens van de beide arrondissementen.

— Neen ... Ik hoopte dat u van hieruit zou kunnen informeren, opbellen ...

De inspecteur had ongetwijfeld een eigen kamer hier. Waarom vroeg hij Jeantet niet met hem mee daarheen te gaan? Omdat dit de stille tijd was en de anderen, die daar met hun uniformpet op hun hoofd zaten, anders helemaal geen afleiding hadden?

Toen hij hem acht jaar geleden ontmoet had, was Gordes bijna mager geweest en hij had hem eerst voor een verslaggever of een handelsreiziger aangezien. Hij was toen al ongegeneerd, zelfverzekerd, van het slag dat men uren achtereen in café's ziet zitten en dat hij zo dik geworden was, was stellig het gevolg van veel eten en drinken, vooral drinken.

— Cornu, geef me de afdeling Ongevallen eens.

In zijn mond werd wat een vriendelijkheid had kunnen zijn, een uitdaging en hij ging half op het bureau van de agent zitten, nam hem de hoorn uit zijn handen.

— Ongevallen? ... Ben jij het, Manière? ... Ik dacht het al aan je stem te horen ... Warm, ja ... Hier ook ... Hoe gaat het? ... En de kinderen? ... De mijne gaat eind volgende week met vakantie, met zijn moeder ... Naar zijn grootmoeder, zoals altijd ... Zeg eens, heb je vanmiddag bij de verkeersongelukken niet een vrouw gehad van een jaar of dertig? ...

Hij was onder het gesprek Jeantet ononderbroken blijven aankijken en vroeg hem nu:

— Hoe was ze gekleed?

— In een zwarte jurk, nogal oud.

— Een zwarte jurk ... Kenteken: een litteken op de wang ... Een litteken, ja ... Juist, ja ...

En weer tegen Jeantet:

— Op de linker of op de rechter wang?

— De linker.

— De linker wang ... Wat je zegt, een souvenir, ja ... Mijnheer was niet tevreden over haar ... Kun je niets vinden? ... Druk bij jullie? ... Neen, ik begin mijn dienst pas ... Dank je ... Ja ... Ik zal het haar zeggen ...

Hij legde de hoorn weer op het toestel en trok aan zijn pijp terwijl hij van neen schudde.

Jeantet waagde nog een poging.

— Zou het niet mogelijk zijn dat ze regelrecht naar het ziekenhuis gebracht is?

— Bij een ongeval moet er altijd een proces-verbaal opgemaakt worden, dat is verplicht. Je komt maar niet in een ziekenhuis zoals je in een bioscoop komt ...

— Maar bij een spoedgeval? ... Veronderstel dat ze gevallen is en dat onbekenden haar opgebeurd hebben ...

Hij begreep dat dat onzin was, dat hij dat niet moest zeggen, vooral hier niet.

— Goed! Geef me het *Hôtel-Dieu* eens, Cornu ...

Daarna kwamen het *Hôpital Saint-Antoine* en het *Hôpital Saint-Louis* aan de beurt.

— Bent u nu overtuigd?

De inspecteur had dat niet gedaan om hem te helpen, niet uit welwillendheid, maar om hem te bewijzen dat hij gelijk had. Er waren nog meer ziekenhuizen in Parijs. Maar was het waarschijnlijk dat Jeanne, zoals ze gekleed was, zo ver uit de buurt gegaan zou zijn?

Hij durfde niet aandringen. Gordes bezag het geval uitsluitend als politieman, zoals bleek uit zijn vraag:

— Hebben ze haar niet laten betalen, vroeger, toen u haar van de straat opgeraapt hebt?

Alle woorden waren ernaast en riepen slechts een karikatuur van de werkelijkheid op. Jeantet schudde van neen.

— Toch heb ik u gewaarschuwd, dat ze zou moeten betalen. Een man laat een meid die voor hem werkt zo maar niet voor niets los. Dan is een man onteerd, in dat milieu.

Hij wist niets te antwoorden. Hij verlangde er naar om weg te gaan. Hij was er opeens bijna zeker van dat Jeanne terug was en hij was boos op zichzelf dat hij door zijn ongeduld al die modder weer aan de oppervlakte had laten komen.

— Heeft ze u geen geld gevraagd? Een kwart miljoen francs, een half miljoen, of zoiets?

— Neen.

— Dan heeft ze dat geld zeker ergens anders gehaald. Ging ze vaak uit?

— Nooit.

— Heeft u vrienden? Rijke vrienden?

Hij bloosde voor de tweede maal, beweerde zonder dat hij eigenlijk wist wat hij zei:

— Of ze is thuisgekomen terwijl ik hier was, of er is haar iets overkomen.

— U zult het wel weten. Komt u morgen nog eens langs, dan horen we het.

Een auto stopte voor het politiebureau. Een portier sloeg dicht. De deur ging plotseling open en twee agenten duwden twee mannen naar binnen, de ene met de handboeien aan, de ander met een gezicht vol bloed. Beiden hadden heel donker haar en maakten de indruk van buitenlanders, Spanjaarden of Italianen, maar daar kwam Jeantet niet achter want hij kreeg de tijd niet om ze te horen spreken.

Het was voor hem slechts een beeld: de jonge agenten, onberispelijk in hun uniform, blakend van gezondheid, die deden denken aan atleten op een sportveld, en de beide anderen die ongeveer van dezelfde leeftijd waren, met vuile vlekken op hun kleren, gescheurde hemden, harde en koppige blikken.

Degene die bloedde scheen dit niet te bemerken en liet het bloed langs zijn kin sijpelen op zijn hemd dat al vol rode vlekken zat.

Op het moment dat Jeantet wegging, legde een der agenten een geopend mes op de toonbank en de man op de bank vergat voor een ogenblik zijn paperassen, keek op en sloeg de nieuw aangekomenen gade met nog steeds dat gezicht van iemand die zich inspant om iets te begrijpen.

Wat te begrijpen? Waarom de mensen elkaar pijn deden?

Met verwondering zag Jeantet het daglicht toen hij weer buiten kwam en hij bleef geruime tijd staan kijken naar een duif die op de rand van het trottoir zat te pikken. Hij dwong zichzelf langzaam te lopen. Het was beter om zoveel mogelijk tijd te laten verstrijken want iedere minuut gaf Jeanne een kans te meer om thuis te komen.

De straten waren rustiger, leger, de geluiden gedempter. De eigenaar van het café op de Boulevard Saint-Denis, stond aan de deur en hield het oog op zijn terras. Het was een rustige man, klein, en kaal, die lange tijd kelner was geweest in Straatsburg of Mulhouse. Zag hij het kruispunt, de tafeltjes, de glazen bier en zelfs de hemel die begon te betrekken, met dezelfde blik als zijn klanten die van de koelte zaten te genieten?

Hij had stellig ook zijn eigen taal, zijn eigen kijk op het leven en op de mensen. En iedere gast die daar in de schemering aan een tafeltje zat leefde in werkelijkheid in een eigen wereld die voor alle anderen ontoegankelijk was.

Dat wist hij al heel lang. Juist daarom, omdat hij dat zo goed wist, was hij er altijd op uit geweest zijn wereld zoveel mogelijk te begrenzen en die te omringen met beschermende muren. Hij had die wereld ook zo klein, zo eenvoudig mogelijk willen houden, zodat die minder bedreigd zou zijn, en plotseling, geheel onverwachts, begon alles te wankelen.

Hij liep de trap op bij twee treden tegelijk, opende met een ruk de deur, alsof hij kruis of munt speelde.

Leeg!

Toen liet hij zich in zijn stoel neervallen en bleef met wijdgeopende ogen, zonder te weten waar hij zo strak naar staarde, onbeweeglijk zitten.

Hij had geen honger, geen dorst, had het niet koud, noch warm. Hij voelde geen moeheid en eigenlijk gezegd ook geen verdriet.

Maar heel langzaam kwam angst in hem binnensluipen die zich openbaarde in zenuwtrekkingen, in geheimzinnige bewegingen in zijn gehele lichaam, tot het tenslotte bijna ondraaglijk was.

— Het mag niet!

Hij was zich niet bewust dat hij hardop gesproken had in de lege woning waarin de geluiden van buiten nog steeds door de openstaande ramen binnendrongen. Hij moest niet de straat oprennen om Jeanne te gaan zoeken. Zijn instinct dreef hem daartoe. Hij moest zichzelf het allergrootste geweld aandoen om daar ineengezakt in zijn stoel te blijven zitten, ogenschijnlijk futlozer dan ooit.

Als het geen ongeluk was, was het een misdaad. Had inspecteur Gordes daar ook niet aan gedacht? Jeantet had op het punt gestaan daar met hem over te spreken. Wat hem daarvan weerhouden had, was het feit dat de woorden voor hen een te verschillende betekenis hadden. De woorden van Gordes bezoedelden alles.

Jeanne had niet betaald, toentertijd, omdat hij, Jeantet, haar gezegd had dat niet te doen en, bovendien, omdat hij haar niet zoveel geld had kunnen geven. In die tijd, acht jaar geleden, was hij nauwelijks tweeëndertig jaar; hij had toen de fauteuil nog niet gekocht, en de twee tekentafels; van de donkere kamer, die vroeger door een straatfotograaf gebruikt was, was nog geen badkamer gemaakt.

Hij bedacht zich dat het ook een woensdag was geweest toen het gebeurde, want toen had hij die dag al gekozen om, zoals hij dat noemde, zijn ronde te doen.

Hij had alleen gegeten in de eetkamer waar nog maar heel weinig meubels stonden en hij herinnerde zich dat hij op de terugweg bij mevrouw Dorin aangegaan was om kaas en gekookte groente te kopen.

Het was zomer, verder in het seizoen dan nu, eind augustus en de meeste Parijzenaars, vooral in zijn wijk, waren al terug van hun vakantie. De ramen stonden open en de geluiden waren nagenoeg dezelfde als vandaag.

In die tijd ging hij altijd in een rieten stoel zitten lezen, alle boeken over ontdekkingsreizigers die hij maar te pakken kon krijgen in de stadsbibliotheek of bij de stalletjes langs de Seine. Hij had lang zitten lezen, tot één uur 's nachts ongeveer. Toen had hij het licht uitgedraaid en was, met zijn ellebogen op de vensterbank leunend, voor het raam blijven zitten dat uitzag in de Rue Sainte-Apolline.

Er stonden slechts twee vrouwen bij de deur van het rendez-voushuis, waar het licht dat naar buiten scheen, een rechthoek op het trottoir wierp. De luiken van het cafeetje iets verderop waren al gesloten. Een van de vrouwen, die hoogblond was, was in het lichtblauw en de andere droeg een zwarte japon.

Een man was om de hoek van de straat gekomen, met aarzelende tred, was plotseling de straat overgestoken naar het andere trottoir om de vrouwen van dichtbij in het gezicht te zien. Hij was ze voorbijgelopen; die in het blauw was hem snel achternagegaan en het was haar, nadat ze vrij lang fluisterend hadden staan praten samen, gelukt om hem mee te nemen naar het bewuste huis waar al spoedig het licht achter een raam aanging.

Toen twee weken later de inspecteur over Jeanne was komen praten, was hij naar het raam gelopen, had naar het huis aan de overkant gekeken en daarna, met een blik van verstandhouding en een knipoogje, naar Jeantet.

Het was niet moeilijk om te begrijpen wat hij dacht en hij was er, toen al, naast geweest. De Rue Sainte-Apolline, dat huis, het komen en gaan van de prostituées en haar klanten, dat alles lag op de grens van zijn wereld, het maakte er bijna deel van uit, maar hij keek 's morgens op dezelfde wijze, aan de andere kant, naar de kelners die de tafeltjes en stoelen op het terras van het café zetten, naar de biertonnen die over het trottoir gerold werden naar het gat waardoor ze in de kelder verdwenen.

De rest was snel in zijn werk gegaan. De man moest onzichtbaar in een hoek hebben staan wachten op het ogenblik dat er niemand in de straat was, want Jeantet had hem niet zien komen. Hij had hem opeens gezien, lenig, zwijgend, op enkele passen afstand van de jonge vrouw in het zwart, die hem op hetzelfde moment als hij ontdekte en na een beweging om op de vlucht te slaan, verstijfd van schrik bleef staan.

Het toneel, waarbij geen woord gesproken werd, had slechts enkele seconden geduurd maar toch zag Jeantet nog elke beweging duidelijk vóór zich: de man die vlak voor de vrouw ging staan, een ogenblik doodstil stond, haar toen heel bedaard op elke wang een klap gaf voor ze een afwerende beweging had kunnen maken.

Onmiddellijk daarop had hij met zijn linkerhand haar haren gegrepen, niet ruw, maar zeer beheerst en nadat hij zijn rechterhand uit zijn zak gehaald had, had hij haar met een wonderlijk rustig gebaar in het gezicht gestoken.

Tenslotte had hij zijn slachtoffer met een ruk van zich af geduwd zodat zij over het trottoir rolde en met een voldaan gezicht, als van een man die volbracht heeft wat hij volbrengen moest, had hij zich verwijderd in de richting van de Rue Saint-Denis en was spoedig om de hoek verdwenen. Een schaduw in het duister, meer niet. Men hoorde zijn voetstappen niet.

Het was nu doodstil in de straat en men zag van de vrouw die op het trottoir lag, alleen een voet en een been die verlicht werden door het licht dat uit het huis scheen.

Wie weet? Als hij toen een telefoon in huis had gehad, had hij misschien volstaan met de politie te waarschuwen? In plaats daarvan had hij zijn broek, zijn jasje, zijn pantoffels aangeschoten en was naar beneden gegaan.

Toen hij op het trottoir aan de overkant kwam, was de vrouw bezig met pogingen om overeind te komen, langzaam, zonder kreunen, zonder kermen. Ze zat nog op haar knieën, steunde met één hand op de grond en ze had ontsteld omhooggekeken, naar die onverwachte gedaante.

Bloed bedekte de helft van haar gezicht en haar hals maar zij scheen dat, evenals de man op het politiebureau zoëven, niet te bemerken.

Hij strekte zijn handen uit om haar te helpen. Maar ze stond met een uitdagend gezicht alleen op en eenmaal overeind vroeg ze, voor ze aan haar tas dacht die even verder op het trottoir lag:

— Wat komt ú hier doen?

— U bent gewond...

— En wat zou dat? Gaat u dat wat aan?

Net als de anderen, per slot! Maar ditmaal had hij zich niet laten ontmoedigen.

— Er moet iets aan gedaan worden...

— Laat u dat maar aan mij over.

Hij had de tas opgeraapt en haar die aangereikt. Ze had er een zakdoek uitgehaald, daarmee over haar wang geveegd en pas toen, toen ze al dat bloed zag, was de schok gekomen. Haar ogen waren groter, waren star geworden; hij had nog juist de tijd gehad haar aan haar schouders vast te houden toen ze begon te wankelen.

Zijn eerste gedachte was geweest om haar in de gang van het rendez-voushuis te brengen en iemand, het deed er niet toe wie, te roepen. Terwijl hij daarmee begon, kwam ze weer voldoende tot zichzelf om te protesteren, tegen te spartelen.

— Niet daar!

— Waarom niet?

— Dan waarschuwen ze de politie.

— Waar zal ik u dan heen brengen?

— Nergens heen.

— Woont u hier in de buurt?

Maakte die zin op de vrouw niet dezelfde indruk als bepaalde zinnen op hem maakten? Had hij niet in een onbekende taal tegen haar gesproken?

Ze herhaalde, meer ironisch dan bitter:

— ... *wonen* ...

En hij, onhandig:

— U kunt zo niet blijven bloeden ... Er is een apotheek open op de Boulevard, hier dichtbij ...

— En een smeris daar vlak tegenover, ja!

Hij had naar boven gekeken, naar zijn raam.

— Gaat u met mij mee naar huis. Ik zal wel zien of het erg is en of we er een dokter bij moeten halen ...

Hij wees op zijn huis.

— Het is daar ... Op de tweede etage ... Weest u maar niet bang ...

— Bang waarvoor?

Een ogenblik vroeg hij zich af of ze niet dronken was. Ze keek hem aan alsof hij een wezen van een andere planeet was. Op de trap struikelde ze. En toen ze in zijn kamer kwam en hem eindelijk in het licht zag, dacht hij een ogenblik dat ze in lachen zou uitbarsten.

— Wacht u hier even ... Ik zal water halen en watten ...

Met gefronste wenkbrauwen keek ze om zich heen.

— Is er geen spiegel hier?

De enige spiegel die hij bezat was een klein

spiegeltje met een metalen lijst dat in de W.C. hing en dat hij gebruikte om zich te scheren.

— Beweegt u zich niet... Ik zal u geen pijn doen...

In dienst was hij hospitaalsoldaat geweest. Hij zag direct dat de wond, hoewel vrij diep, niet door en door was. Feitelijk waren het twee wonden want het mes had een kruis van vijf centimeter ongeveer in de wang gesneden.

— Ik heb alleen maar jodiumtinctuur in huis... Het zal wel even branden... Maar morgen moet u toch even naar de dokter om het te laten hechten...

— Zeker om me bij de politie te laten aangeven!

— Als u hem vraagt om niets te zeggen...

— Dat moeten ze, dat zijn ze verplicht! Ik ken ze.

Ze was nauwelijks twintig jaar. Ze was donker, klein, niet knap en niet lelijk, en haar onverschillige en ruwe manieren hadden iets kunstmatigs, evenals haar zelfverzekerdheid.

— Weet u wie het gedaan heeft?

Al was hij twaalf jaar ouder dan zij en beschouwde hij zichzelf als een man die zijn jeugd allang achter zich had liggen, toch behandelde zij hem die nacht alsof zij de oudste was.

— Bemoeit u zich daar maar niet mee! Enfin, bedankt voor de goede zorg!

— U wilt toch zo niet weggaan?

— Wat zou ik anders doen?

— Bent u niet bang?

Ja, ze was bang, opeens, misschien omdat ze

op dat moment de Rue Sainte-Apolline door het raam zag en, op het trottoir aan de overkant, de blonde jonge vrouw in de blauwe jurk, die haar wacht weer betrokken had. Op de hoek van de straat stonden twee mannen en de gloeiende punten van hun sigaret bewogen in het donker als glimwormpjes. Ze schenen het trottoir voor het huis aan de overkant in het oog te houden.

— Zoeken ze ú?

— Ik weet het niet.

— Dacht u niet dat het beter was om vannacht maar hier te blijven?

Hij herinnerde zich die blik, waaruit meer onbegrip, dwaas wantrouwen sprak dan uit alle onheusheden die ze gezegd had.

Hij haastte zich eraan toe te voegen:

— Er is nog een kamer, daar achter de deur... Ik ga wel in een stoel slapen...

— Ik heb geen slaap...

— Dat komt nog wel. Doet uw wang geen pijn?

— Het begint.

— Ik zal u twee aspirientjes geven.

— Die heb ik zelf, in mijn tas.

Hij had de rieten stoel in de kamer gesleept die later eetkamer geworden was en tegen drie uur was hij eindelijk ingedommeld. Het was de eerste keer dat er een vrouw in zijn woning sliep en hij was er helemaal van in de war want hij had altijd gedacht dat hij zijn hele leven alleen zou blijven.

De volgende morgen had ze koorts. Hij had haar naam niet gevraagd, zelfs niet haar voornaam. De zwarte jurk, die vol stof zat, lag op de grond naast de schoenen met scheefgelopen hakken, die van binnen zwart geworden waren door het zweet, en onder de deken staken een paar vuile voeten uit, haar haren waren aaneengeplakt door het bloed, om haar ene oog was een grote blauwachtige kring.

— Is er niemand geweest?

— Neen.

— Kijkt u eens door het raam. Mij mogen ze niet zien. Loopt er geen man op het trottoir heen en weer?

Ze had haar zelfverzekerdheid van 's nachts verloren. Iedere keer als er voetstappen op de trap klonken schrok ze angstig op.

— Het is een waarschuwing.

— Wat?

— Wat hij me gedaan heeft.

— Kent u hem?

Twee weken waren voorbijgegaan en de derde dag had hij bij een uitdrager in de Rue du Temple een harmonikabed gekocht dat hij 's avonds in de eetkamer opzette. Hij moest zijn benen door de spijlen steken want toen sliep híj op dat te korte bed.

Ze liep al in huis rond, op blote voeten, in een kamerjas van hem waar ze een zoom ingespeld had, toen er op een morgen, tegen elven, op de deur geklopt was. Nadat ze Jeantet met een smekende blik aangekeken had en haar vinger op haar lippen gelegd had was ze weggerend en had zich in de W.C. opgesloten.

De bezoeker was Gordes, minder dik dan hij nu was en ook niet zo glimmend want er viel die dag een koude regen. Alvorens zijn mond open te doen had hij de kamer en wat er in stond opgenomen. Toen had hij, terwijl hij naar de deur van de eetkamer wees, gevraagd:

— Is ze daar?

— Wie bedoelt u?

Met een minachtende blik had hij zijn kaart laten zien.

— Die meid. Jeanne Moussu. Degene die twee weken geleden door haar souteneur gestoken is.

Hij antwoordde niet, omdat er op dat moment geen enkel antwoord mogelijk was.

— Het is nu vrijdag en gisteren is ze voor de tweede keer al niet voor onderzoek geweest.

— Voor welk onderzoek? vroeg Jeantet naïef.

De ander keek hem aan alsof hij een of ander wonderdier voor zich had.

— Bij de dokter van de gezondheidspolitie. Moet ik het soms voor u uittekenen? Als een vrouw bij de politie ingeschreven staat...

Jeantet was er zeker van dat Jeanne achter de deur stond te luisteren en dat gaf hem een onbehaaglijk gevoel.

— En als ze nu eens geen zin meer had om ingeschreven te staan?

— Als dat zo is, heb ik er niets mee te maken. Dan moet ze dat opgeven bij de Zedenpolitie op de Quai des Orfèvres, en dan moet ze middelen van bestaan hebben, en een te goeder naam en faam bekend staand persoon kunnen opgeven die voor haar in wil staan, en verder nog wat formaliteiten vervullen...

— Dat kan toch zeker wel?

— Natuurlijk! Natuurlijk! Alles kan, zelfs dat, daar heeft u gelijk in. Heeft u een vaste baan?

Hij keek met een spottende glimlach naar de getekende letters die de muren versierden.

— Is dat uw vak?

— Ja. Ik ben tekenaar.

— Levert dat wat op?

— Genoeg om van te leven.

— Bent u vrijgezel?

De inspecteur liep de kamer op en neer, met zijn hoed op zijn hoofd en hij wist even goed als Jeantet dat Jeanne achter de deur stond. Hij liep met opzet af en toe naar de deur maar bleef er dan voor staan zonder hem open te doen.

— Zoals u wilt... zuchtte hij tenslotte.

Toen had hij zich voorovergebogen voor het raam dat in de Rue Sainte-Apolline uitzag en had beurtelings naar het huis aan de overkant en naar het gezicht van Jeantet, die bloosde, gekeken.

Hij was onmiddellijk verder gegaan:

— Het is mijn zaak niet... Zoiets lukt één keer op de duizend maar u heeft, evengoed als iedereen, het recht om het te proberen... Dan moet ze naar commissaris Depreux gaan en dan zou ik u aanraden om met haar mee te gaan en uw papieren mee te nemen, ook getuigschriften van de mensen voor wie u werkt... Vergeet u niet een uittreksel uit het strafregister... En daarna, als die knaap terugkomt, zult u moeten zien dat u geld krijgt om te betalen ...

— Wat betalen?

— Als je een man zijn vrouw afneemt, in dat milieu, dan neem je hem zijn broodwinning af. Dus dan is het logisch dat hij schadeloosstelling krijgt ...

De deur was opengegaan en Jeanne had gezegd:

— Laat maar, Bernard ... De inspecteur heeft gelijk ...

Het was nog maar drie dagen dat ze elkaar tutoyeerden, en de eerste keer dat dat gebeurd was had hij daarna urenlang door de straten rondgelopen terwijl hij trachtte na te denken.

In die acht jaar was hij de inspecteur verscheidene malen op straat tegengekomen en steeds had hij, waneeer dat mogelijk was, zijn blik ontweken.

Maandenlang hadden Jeanne en hij als het ware in een belegerd fort geleefd en toen ze eindelijk met hem samen uitgegaan was, was ze even zo duizelig geworden dat ze bijna gevallen was.

Anderhalf jaar later pas waren ze getrouwd op het raadhuis van het II^{de} Arrondissement, met als getuigen twee onbekenden die Jeantet op aanraden van een ambtenaar uit een kroegje in de buurt was gaan halen. Die traden zowel bij geboorteaangifte als getuige op als bij huwelijk en overlijden en de ambtenaren van de burgerlijke stand deden dan alsof ze ze niet herkenden.

Het neonlicht flikkerde, van tijd tot tijd kwamen er nog bussen voorbij, de auto's reden sneller nu op de zo goed als verlaten rijweg, terwijl de stemmen van de voorbijgangers luider klonken in de stilte van de avond.

Natuurlijk liepen er vrouwen aan de overkant, twee of drie, nieuwe of oude, op en neer voor de deur van het huis, waar af en toe achter een raam het licht aanging.

Hij dommelde niet in, sloot zijn ogen niet, volgde maar steeds, als op een plattegrond of een anatomische plaat, de trekkingen van zijn zenuwen, de beweging van zijn bloed in zijn aderen.

Het was niet waar! Zijn hele wezen verzette zich! Het was onmogelijk dat inspecteur Gordes, na acht jaar, nog gelijk zou krijgen en niet hij. Het was niet een zaak tussen twee mannen. Het ging niet om twee verschillende meningen. Het probleem omvatte veel meer dan hen tweeën, dan Jeanne ook, en werd, in de geest van Jeantet, een kosmisch probleem. De wereld, het leven zelf kwamen op losse schroeven te staan, niet het leven van een man en een vrouw, maar het leven zonder meer.

Acht jaar lang hadden zij de ruimte tussen die muren gevuld met hun wezen, van een anonyme woning hadden zij een zeer bepaalde wereld gemaakt, die helemaal hun eigen wereld was, waar iedere molecule *hun* stempel droeg.

Niet *zijn* wereld. Niet *haar* wereld. *Hun* wereld.

Het ritme van hun dagen werd niet bepaald door de klok, noch door het op- of ondergaan van de zon.

Dat was per slot het meest eigene in hun leven, dat ritme dat een vast programma, onafhankelijk van iedere regel en iedere invloed, had doen ontstaan.

Zo had hij op dit moment bijvoorbeeld met een boek moeten zitten terwijl hij Jeanne heen en weer hoorde lopen die bezig was zich voor de nacht gereed te maken, en ze kon ieder moment naar hem toe komen om hem, even schuchter als de eerste maand, een kus te geven en zacht te zeggen:

— Zul je niet te laat naar bed gaan?

Scheen de inspecteur een uur geleden hem niet te verstaan te geven dat dat niet meer gebeuren zou, door haar schuld, omdat zij niet meer wilde dat dat gebeurde?

De oude juffrouw Couvert sliep, in de kamer boven zijn hoofd, in dezelfde kamer als Pierre, die men soms op blote voeten hoorde lopen als hij slaapwandelde. De andere huurders die nog hoger woonden en die hij nauwelijks van gezicht kende, sliepen waarschijnlijk ook al. De kantoorlokalen van de deurwaarder waren leeg, want hij woonde in een buitenwijk.

Het was onrechtvaardig. Het was een dwaling. Ja, dat was het woord en hij was er zeker van dat hij zich niet vergiste: er moest een fout zijn in het uitgangspunt. Het was niet aan te nemen dat Gordes gelijk had, al leek dat ook zo.

Jeanne was niet weggelopen. Zij had niet vrijwillig, weloverwogen, met hem gebroken. Het was juist, dat ze de bewuste schadeloosstelling nooit betaald hadden maar er was, in tegenstelling met wat de inspecteur dacht, nooit iemand bij hen gekomen om die op te eisen.

Ze waren lange tijd op hun qui-vive geweest, hadden steeds verwacht iemand aan de deur te horen kloppen. Maar nooit was de man, wiens naam Jeantet niet had willen weten, komen opdagen. Als hij dat niet gekund had, bijvoorbeeld omdat hij een straf moest uitzitten en nu pas weer op vrije voeten gesteld was, zou de politieman hem dat dan niet verteld hebben?

Mis! De fout in het uitgangspunt moest gevonden worden! Jeanne was niet ergens met een man in een kamer, en ook niet alleen. Ze zwierf ook niet op straat. Ze had de trein niet genomen, met die oude zwarte jurk en haar oude schoenen die ze overdag altijd droeg.

Gordes had de drie ziekenhuizen die het dichtst in de buurt waren, opgebeld. Er waren er nog meer in Parijs en Jeantet stond log en onhandig op, als een man die gedronken heeft, draaide het licht aan en bladerde met knipperende ogen in de telefoongids.

— Met het *Hôpital Beaujon*? . . . Neemt u me niet kwalijk, zuster . . . Ik wilde u vragen . . .

— Is het voor een spoedgeval?

— Neen . . . Kunt u mij ook zeggen of er vanmiddag soms een jonge vrouw bij u binnengebracht is . . . Jeanne Jeantet heet ze . . .

— Voor een operatie?

— Dat weet ik niet.

— Hoe spelt u die naam?

— *J* van Joseph ... *E* van Emile ...

Toen het *Hôpital Bichat,* het *Hôpital Bouci-caut* ...

Hij kon niet meer denken. Hij herhaalde geduldig:

— Neen, zuster ... Dat weet ik niet ... *J* van Joseph ... *E* van Emile ...

Iedere keer vroeg hij excuus, bedankte hij.

— Met het *Hôpital Bretonneau?* ... Neen, zuster, het is niet voor een spoedgeval ... Ik wilde alleen maar vragen ...

Zijn blik was strak op de tussendeur gericht en er kwam een floers voor zijn ogen.

— Dank u, zuster ...

Hij vergat zijn twee laatste sigaretten van de dag te roken.

— Met het *Hôpital Broca?* ...

Toen *Broussais* ... *Chauchard* ... *Claude-Bernard* ... *Cochin* ... *Croix-Rouge* ... *Dubois* ... *Enfants-Assistés* ...

Een rukwind deed de deur tegenover hem schudden en hij zou niet verwonderd geweest zijn als er een geestverschijning naar binnen gekomen was.

Laennec ... *La Pitié* ... *Lariboisière* ...

Honderden, duizenden bedden, met zieken, stervenden, verkeersslachtoffers, lichamen die opengesneden werden en doden die in een lift naar beneden gebracht werden ...

Zijn zuster, Blanche, werkte niet in een gewoon ziekenhuis maar in de kraamkliniek op de Boulevard de Port-Royal. Ze was vroedvrouw. Ze was drie jaar jonger dan hij. Ze woonde, alleen, op een appartement in het Parc Montsouris en sedert hij met Jeanne getrouwd was zagen ze elkaar niet meer.

Hij had ook een broer, ouder dan hij, die getrouwd was, kinderen had en in een landhuisje in Alfortville woonde. Hij was korter en dikker dan hij, sterker ook, en was machinist bij de Spoorwegen.

Hij had zelfs een moeder, in Roubaix, die toen ze hertrouwd was een levenswens in vervulling had zien gaan, want haar tweede man dreef een café dat aan het kanaal stond.

Die mensen hadden niets met hem gemeen, noch met de woning op de Boulevard Saint-Denis, waar geen van hen ooit een voet gezet had.

... *Saint-Joseph* ... *Saint-Louis* ... Neen! Dat laatste had de inspecteur al opgebeld ... *Salpétrière* ... *Tenon* ... *Trousseau* ...

Het laatste: *Vaugirard*.

— *J* van Joseph ... *E* van Emile ...

Toen hij ditmaal zijn mond opende om te bedanken, kwam er alleen een snik en hij liet zijn hoofd op zijn armen vallen.

III

Tegen drie uur 's nachts was er blijkbaar een grote brand, de kant van de Rue des Petites-

Ecuries of de Rue de Paradis uit, voorzover hij kon oordelen. Hij was niet naar bed gegaan. Hij zat nog in zijn stoel toen hij twee brandweer-auto's onder zijn ramen voorbij hoorde komen, daarna een kwartier later nog een derde, een zwaardere. Toen, nog later, de grote ladder-wagen ook voorbijgereden was, met aan weers-kanten een rij gehelmde brandweermannen, was hij naar het venster gelopen en had nog een laat-ste auto gezien die een aantal autoriteiten naar het terrein van de brand bracht.

De Boulevards waren zo goed als geheel ver-laten en aan de voet van de Porte Saint-Denis zat een verdwaalde kat die iedere keer dat hij in de verte voetstappen hoorde, begon te miauwen. In de richting waarin de brandweer gereden was zag men geen rook en geen vuurgloed boven de daken, maar soms hoorde hij een rumoer in de verte, een soort geronk dat hij niet thuis kon brengen.

Vijf maal hoorde hij in de loop van de nacht nog een politieauto met loeiende sirene voorbij-rijden. Geen enkele daarvan stopte in de on-middellijke omgeving. Het dichtstbijzijnde to-neel waar zich iets scheen af te spelen was in de buurt van de Place de la République, want uit die richting hoorde hij een schot.

Enkele malen dommelde hij even in maar hij was zich dat niet bewust; zijn ogen waren wijd open toen de hemel begon te verbleken en de eerste vuilnismannen de emmers over de trot-toirs begonnen te slepen.

Een sterk kalmerend of een verdovend middel, novocaïne bijvoorbeeld, of opium — hij wist dat niet want hij had nooit zoiets ingenomen — zou hem hoogstwaarschijnlijk in dezelfde toestand gebracht hebben. Het was geen echte gevoelloosheid. Zijn lichaam was integendeel gevoeliger dan anders, vooral zijn oogleden. Maar toch was hij verdoofd, geestelijk en lichamelijk, en hij had lange ogenblikken dat alles in hem verward was, zijn gedachten en zijn gewaarwordingen.

Zo ging de nacht voorbij. Een nieuwe dag brak aan. Toen weer een nacht. Tenslotte verdween de tijd, de uren vergleden zonder dat hij het besefte, er was niets en er was alles, een leegte die gevuld was met wachten en met figuren die nu eens grijs en dan weer gekleurd waren.

Wanneer was het dat hij voor het eerst een kop koffie ging klaarmaken in het keukentje waar hij, sedert de jaren dat hij niet meer alleen leefde, niet meer wist waar de dingen stonden? De zon scheen al, er waren overal geluiden, buiten begon het gewone dagelijkse leven, en toen hij drie suikerklontjes in zijn kopje liet vallen, met het lepeltje roerde, staande de hete drank aan zijn lippen bracht, kwam hem plotseling een woord in de geest, dat hij zich niet kon herinneren ooit gebruikt te hebben, het woord 'weduwnaar'.

Hij had opeens de zekerheid dat hij weduwnaar geworden was en dat woord had iets geheimzinnigs voor hem.

Hij hoorde lopen boven zijn hoofd, herkende

54

de tred van Pierre, die zo graag zijn huiswerk bij Jeanne kwam maken.

En ineens bedacht hij dat hij niet één portret van haar bezat, zelfs geen pasfoto. Ze hadden nooit een pas nodig gehad. Ze reisden niet. Hij dacht er niet meer over om met vakantie te gaan met zijn vrouw sedert de zomer, in het jaar van hun huwelijk, dat ze naar Dieppe geweest waren en eindeloze moeite gehad hadden om een kamer te vinden, in een hotel dat stampvol zat en waar ze van niemand een vriendelijke blik gekregen hadden.

Hij kon niet zwemmen. Hij had nooit in zijn leven een badpak aangehad. Hij was bang voor dieren, voor koeien, bijen, honden, en als hij buiten was had hij altijd het beklemmende gevoel — al wist hij dat het dwaasheid was — dat hij omringd werd door vijandige machten.

Hij had tot acht uur gewacht om het politiebureau op te bellen. Inspecteur Gordes, die die week nachtdienst had, was al naar huis.

— Ik zal u inspecteur Maillard geven...

Deze had een sympathieke stem.

— Mijn collega heeft me op de hoogte gebracht ... Neen, geen nieuws, natuurlijk... Geeft u mij uw telefoonnummer maar, dan bel ik u zodra ik iets hoor...

Zodat hij nu niet alleen maar luisterde of hij soms voetstappen op de trap hoorde, maar ook steeds het zwarte toestel op tafel in het oog hield, dat ieder moment kon gaan rinkelen.

En voetstappen kwamen er ook, van boven,

tegen half tien. Jeugdige, huppelende stappen, gevolgd door een verlegen klopje op de deur. Hij ging de deur voor de knaap opendoen, nam tegelijk de fles melk en het verse brood van het portaal mee naar binnen.

— Stoor ik u niet? vroeg Pierre, terwijl hij trachtte te doen als iemand die zomaar eens op visite komt, maar hij kon niet nalaten nieuwsgierig rond te zien.

Hij durfde de vraag niet te stellen. Maar Jeantet zei:

— Ze is niet thuisgekomen.

— Denkt u dat ze een ongeluk gehad heeft?

Hij bekende niet dat hij alle ziekenhuizen van Parijs opgebeld had.

— Het is misschien niets ernstigs. Als het iets ernstigs was waren ze u toch wel komen waarschuwen?

Het kind durfde niet onmiddellijk weg te gaan, bleef nog even hangen, zonder iets te zeggen, als bij een ziekenbezoek, en toen hij eindelijk opgelucht de trap afrende, ging Jeantet zonder zich uit te kleden op de divan liggen waar hij tenslotte insliep. Toen hij wakker werd hoorde hij aan de geluiden op het terras beneden dat het lunchtijd was; hij dronk wat melk, at brood met een stukje koud kalfsvlees dat hij in de vliegenkast vond die buiten het raam aan de muur hing.

Hij onderdrukte zijn verlangen om uit te gaan, de straten te doorkruisen om Jeanne te zoeken. Hij schoor zich, kleedde zich aan, probeerde in de loop van de middag wat te werken maar dat lukte hem niet. Het had ook geen zin. Hij vond alleen maar rust wanneer hij in zijn fauteuil zat, met gestrekte benen en halfgesloten ogen.

De telefoon zweeg nog steeds en hij was even eenzaam als wanneer hij alleen in Parijs overgebleven zou zijn na een epidemie of een massale uittocht.

Hoeveel uren was het nu al? Toen hij woensdag van de Rue François-Ier, de Faubourg Saint-Honoré en de *Imprimerie de la Bourse* thuisgekomen was en het appartement leeg aangetroffen had, was het even over zessen 's avonds geweest. Op dat ogenblik was hij nog optimistisch geweest, want hij was het huizenblok een paar maal omgewandeld in de veronderstelling dat ze bij zijn terugkomst thuis zou zijn.

De nacht van woensdag op donderdag... Toen een hele dag van niets doen, van afwachten... Zonder zelfs te denken, want in werkelijkheid dacht hij niet en als hem bepaalde beelden voor de geest kwamen waren dat, wonderlijk genoeg, hoofdzakelijk beelden uit zijn kinderjaren in Roubaix, aan het kanaal, waar zijn moeder nu achter de toonbank van een café troonde... Hij kende dat café wel, dat er al was toen hij als kleuter van drie of vier jaar op het trottoir met knikkers begon te spelen... Hij herinnerde zich nog duidelijk de geur van jenever gemengd met een andere geur, die van de teer waarmee de schepen bestreken werden...

De schippers die uit het café kwamen en tegen de knikkers schopten, roken naar teer en jenever . . .

Weer zes uur 's avonds en, beneden, het terras dat vol gasten zat die transpireerden en bier dronken.

Hij maakte opnieuw een kop koffie klaar; de woorden *koffie* en *weduwnaar* verbonden zich in zijn geest met elkaar zoals in zijn herinnering teer en jenever met elkaar verbonden waren. Zou hij voortaan niet, elke dag weer, dezelfde gebaren moeten maken, weer thuis moeten raken in het keukentje waar hij moest zoeken naar de suiker en de lucifers?

Er waren nog drie eieren in de kast en toen het donker begon te worden vond hij eindelijk de moed ze in de pan stuk te slaan.

Inspecteur Gordes die zijn dienst weer hervat had, belde nog steeds niet op. Voor het huis in de Rue Sainte-Apolline liep die avond een vrouw in een wit mantelpakje, die hij nooit eerder gezien had en die hem, door haar lengte, haar donkere haar en haar figuur aan Jeanne deed denken.

Toen op het eind van de avond de bioscopen uitgingen en de mensen zich naar de métro haastten, besloot hij eindelijk om het bureau op te bellen.

— De inspecteur doet zijn ronde. We hebben nog steeds niets gehoord.

Was Gordes om hem te bewijzen dat hij gelijk had, Jeanne gaan zoeken, niet een Jeanne die dood was, maar die leefde?

Hij wilde zich niet uitkleden, viel toch, geheel gekleed, in slaap op de divan. Hij zocht dus niet opzettelijk vergetelheid in de slaap, hetgeen hij als een vlucht beschouwd zou hebben. Trouwens, hij bleef voortdurend de lichtreclame aan en uit zien gaan, de bussen voorbij horen rijden, de voorbijgangers praten, de treinen fluiten op het Gare de l'Est, waaruit bleek dat de wind gedraaid was.

Om zes uur 's morgens waren er zesendertig uren verlopen. Het was vrijdag. Hij moest de dagen tellen om het te weten. Pierre kwam weer tegen acht uur, ging op een stoel zitten, ernstiger dan de vorige dag.

— Doet u niets om haar terug te vinden?

— Er valt niets te doen . . .

— En de politie?

— Ik heb de politie gisteren opgebeld . . . neen, eergisteren . . .

Hij raakte in de war met de dagen. Onder de blik van het kind begon hij heen en weer te lopen, deed alsof hij erg druk was, met het onaangename gevoel dat die blik vol verwijt was. Hij zei zelfs, alsof hij beschuldigd werd:

— Ik heb alles gedaan om haar gelukkig te maken . . .

Waarom zei Pierre niets?

— Geloof je niet dat ze gelukkig was?

— Jawel . . .

Dat jawel klonk niet overtuigd genoeg naar zijn zin.

— Heb je haar wel eens zien huilen?

Hij was er zich plotseling van bewust dat Jeanne met de knaap veel langere gesprekken had gevoerd dan met hem. Vaak had hij hen, terwijl hij in zijn atelier aan het werk was met de deur half open, zachtjes horen praten en nu vroeg hij zich af waarover ze het wel gehad konden hebben samen.

— Heb je haar wel eens zien huilen, herhaalde hij argwanend.

— Niet vaak.

— Huilde ze wel eens?

— Een enkel keertje ...

— Waarom?

— Als ze iets niet goed deed ...

— Wat niet goed deed?

— Ik weet niet ... haar werk ... of iets anders ... Ze wilde altijd dat er niets aan zou mankeren ...

— En wat zei ze over mij?

— Dat u zo goed was.

Het kwam er allemaal uit zonder enige warmte en het hinderde hem dat het kind hem aanzag met de blik van een rechter.

— Vond ze het leven hier niet eentonig?

— Ze vond dat u erg goed voor haar was.

— En jij?

— Ik geloof het ook wel.

— Kende ze niemand, hier in de buurt, die ik nooit gezien heb?

Hij was kwaad op zichzelf: hij was bezig een soort verraad te plegen, zich, zonder het te willen, aan Gordes' zijde te scharen. Hij haastte

zich zelf het antwoord op die vraag te geven:
— Neen ... Als ze iemand ontmoet had zou ze me dat verteld hebben ... Ze vertelde me alles.

Hij had graag gehad dat Pierre dat bevestigde, maar de jongen stond op.
— Ik moet boodschappen gaan doen ...

Want hij deed de boodschappen voor de oude naaister en als er geen vakantie was, zag men hem vóór schooltijd van de ene winkel naar de andere rennen met zijn boodschappenlijstje en zijn netje in de hand.

Op een gegeven ogenblik in de loop van de morgen ontdekte Jeantet dat de klok was blijven stilstaan en hij wond hem op. Hij stond uit het raam gebogen om naar de juiste tijd te kijken op de grote klok die boven de etalage van de klokkenwinkel hing toen er een schel begon te rinkelen en met zijn hoofd buiten het raam besefte hij niet onmiddellijk dat het eindelijk de telefoon was.

Het was dertien minuten voor half twaalf. Het wachten had eenenveertig uur geduurd.
— Met meneer Jeantet?
— Ja ...
— Met het politiebureau van de ...
— Ik hoor het al ...

Hij had de stem van inspecteur Maillard herkend, zijn manier van spreken. Hij wachtte, durfde de vraag niet te stellen, en het bleef vrij lang stil.
— Welnu, ik geloof dat we er zijn ... Ik heb Gordes thuis opgebeld en hij gaat er direct op af

... Het leek hem het beste dat u er ook heen ging, voor de identificatie ...

— Dood?

— Ja ... Dat is te zeggen ... U zult het wel zien ...

— Waar is ze?

— In de Rue de Berry, bij de Champs-Elysées ... Aan uw linkerhand ziet u een hotel met een eigenaardige naam ... *Hôtel Gardénia* ... Ik raad u aan om er zo vlug mogelijk heen te gaan, want ze zullen haar daar niet lang houden, naar wat ik ervan gehoord heb ...

Dat was het! Jeanne was dood! Dat had nog geen enkele zin voor hem. Het was absurd. Hij ging weg, greep inderhaast zijn hoed, vergat de deur te sluiten die dichtwoei terwijl hij de trap afliep. Hij kwam langs de loge van de concierge, zag de brandende lamp aan de draad hangen, de man die buiten een stoel zat te matten met in zijn mond een oude pijp, die met een ijzerdraadje gerepareerd was.

Hij stapte in een rode taxi met een laag dak en stootte zijn hoofd.

— Rue de Berry ...

— Welk nummer?

— Hotel ...

Het was bespottelijk! Hij was de naam vergeten!

— Het is een bloemennaam ...

— Dan weet ik het al ... *Gardénia* ...

Hij had evengoed door een vreemde stad kunnen rijden want hij wist niet waar de chauffeur hem overal langs reed. De straten waren blokken zonlicht, waarin hij als door een vergrootglas lichte kleren, lachende gezichten zag.

De auto hield stil. Hij zag een agent staan voor een glazen deur met een luifel. Er waren geen nieuwsgierigen, geen journalisten of pers-fotografen, alleen twee kleine zwarte auto's van de politie, langs het trottoir.

Een niet grote, maar lichte hal, met marmeren wanden, een mahoniehouten toonbank en groene planten in de hoeken, een mooie rode loper met koperen roeden op de trap.

Inspecteur Gordes stond bij het bureau en was op het moment dat Jeantet binnenkwam, in ge-sprek met een dame met grijs haar in een zwarte zijden japon.

— Komt u maar mee, meneer Jeantet . . . Om tijd te winnen heb ik gevraagd om u op te bellen . . . Ik was thuis toen ze me waarschuwden . . .

— Is ze het?

— Ik geloof het wel.

Hij had zijn hoed op en zijn pijp in zijn mond, maar de uitdrukking op zijn gezicht was anders, zijn blik ook. Hij keek Jeantet aan alsof er iets was wat hij maar niet kon begrijpen.

Het zwarte hek van de lift ging achter hen dicht en ze gleden geruisloos naar de vierde etage, waar drie of vier mannen en twee kamer-meisjes in een gestreepte schort op het portaal en in de gang elkaar zwijgend stonden aan te kijken.

— Nummer 44 . . . zei de inspecteur zacht.

Het hotel was niet groot, maar het leek hem zeer comfortabel en van een verfijnde luxe. De nummers op de witte deuren werden aangegeven door koperen of bronzen cijfers en ook hier lag een rode loper, stonden groene planten.

— De commissaris van het wijkbureau is hier al een poos ...

Gordes zweeg even.

— Ik had het signalement naar alle arrondissementen gestuurd en gevraagd of ze mij wilden waarschuwen ... Dat hebben ze helaas niet onmiddellijk gedaan ... De politiearts is al weg ...

Hij scheen zich ervan te vergewissen of zijn metgezel wel sterk genoeg was voor de schok die hem te wachten stond. Alvorens hij de deur opendeed, zette hij zijn hoed af, veegde zijn voorhoofd af.

— Zet uw tanden maar even op elkaar, want het is geen opwekkend gezicht ...

Men had de ramen open moeten zetten, vanwege de lucht. Om nieuwsgierigheid van de mensen aan de overkant te vermijden had men de luiken dichtgedaan, die slechts smalle streepjes zon doorlieten. De plafonnière was aan. Er hing een sterke geur van een of ander desinfecterend middel.

Het eerste beeld zag Jeantet in een grote spiegel, zodat het schouwspel een ogenblik niet echt, maar een vergrote foto leek. Toen hij zich tenslotte langzaam omkeerde, naar het grote, lage bed, bleef hij aan de grond genageld staan, zonder een beweging, zonder een woord.

Hij zag een witte japon die hij niet kende, voeten in gloednieuwe, chique schoenen, handen, die een vreemde kleur hadden, met donkerblauwe nagels, en die een boeket verwelkte rozen vasthielden. Er lagen nog meer bloemen, verspreid op het bed, zoals op straat wanneer een processie voorbijkomt, en hier en daar lagen platgetreden bloembladen op de grond.

Hij had willen zeggen:

— Ze is het niet ...

Niet zeggen, maar schreeuwen, en dan dol van vreugde naar buiten snellen. Helaas! De commissaris trok de handdoek die het gezicht bedekte, weg en Jeantet bleef versuft naar Jeanne staan staren. Zij was het, met wijdgeopende ogen, de haren aan weerszijden op het kussen, opgezwollen gezicht, de mond en de kin bedekt met een dikke, bruine vloeistof.

— Kom ...

Iemand greep hem bij zijn arm. Hij werd meegenomen. Op het portaal zag hij een draagbaar, een zak van ruwe stof. De lift zakte. Groene planten streken langs hem. Ze stonden op straat, in de zon, Gordes en hij, en de inspecteur die hem nog steeds bij de arm vasthield, duwde hem het halfdonker binnen van een klein café.

— Twee cognac!

Jeantet dronk zijn glas leeg.

— Nog een?

Hij schudde van neen.

— Ik nog een, ober.

Gordes ledigde zijn tweede glas, betaalde,

nam zijn metgezel mee naar een zwarte auto.

— Die hebben ze mij tot twaalf uur laten houden
... Daar zullen we dus maar van profiteren ...
We zitten beter in mijn kamer ...

De hele weg vermeed hij het, vragen te stellen, rookte aan één stuk door, sloeg voortdurend zijn lange benen over elkaar en zette dan beide voeten weer op de vloer.

Ze gingen niet door het vertrek met de lange toonbank waar ze elkaar de vorige maal gesproken hadden. De inspecteur liet hem een stoffige trap opgaan, daarna liepen ze een kamer door waar mannen in overhemd zaten te werken. Gordes deed een deur open.

— Gaat u zitten. Ik had u gewaarschuwd dat het geen opwekkend gezicht was. Ze heeft er niet bij gedacht dat bloemen de ontbinding verhaasten. Ze denken nooit aan zulke dingen. Maar u heeft haar toch wel herkend?

Jeantet was niet naar het bed gelopen, had zich weg laten leiden zonder de tijd te nemen voor een stilzwijgend afscheid, en het was een verlichting voor hem geweest toen hij het gezwollen gezicht op het kussen niet meer zag.

— Hoe voelt u zich?

— Ik weet het niet.

— Zal ik iets voor u laten brengen om te drinken?

— Neen, dank u.

Hij dacht er nog aan om te bedanken, constateerde hij zelf.

— Was u boos op mij, laatst op die avond?

— Waarom?

66

— Om wat ik tegen u zei?

— Ze is dood nu.

— Weet u hoe ze gestorven is?

Hij schudde van neen.

— Ze heeft een heel buisje slaaptabletten ingenomen. Het buisje is in de badkamer teruggevonden en op het nachtkastje stond een glas
waarin nog enkele druppels zaten van een heel
sterke oplossing.

Hij hoorde zichzelf vragen:

— *Wanneer?*

— Dat kunnen we pas zeggen na de sectie.

Dat woord schokte hem niet, riep geen enkele
reactie bij hem op.

— In ieder geval is het zelfmoord, daar is geen
twijfel aan.

— Waarom?

— Omdat ze alleen in de kamer was.

— Van wanneer af?

— Woensdag.

— Hoe laat?

— Ze is daar om drie uur gekomen.

Jeantet hield aan:

— Alleen?

— Alleen, ja. Om vijf uur heeft ze een fles champagne besteld.

Hij kon het niet meer volgen. De kamer verloor, ondanks haar zakelijke, officiële karakter,
alle realiteit. Een achtergrond in mist. Vlekken,
lijnen, geluiden. Hij herhaalde:

— Champagne?

Dat was al heel vreemd. Ze hadden nooit

champagne gedronken samen, zelfs niet op de dag van hun huwelijk. Hij zou niet op het idee gekomen zijn.

— Als u in de linkerhoek van de kamer gekeken had, zou u de fles hebben zien staan met nog een klein beetje erin, en een glas op een tafeltje. De mensen van het VIII^{ste} Arrondissement werken al van vanmorgen negen uur af aan de zaak.

Woensdag om vijf uur stond hij nog op de *Imprimerie de la Bourse* over de corrigeersteen gebogen, en dat was het moment waarop Jeanne naar beneden had moeten gaan om het avond-blad voor hem te halen tegelijk met wat ze voor het avondeten nodig had.

— Die jurk... zei hij, terwijl hij opkeek met ge-fronste werkbrauwen.

— Welke jurk? Bedoelt u die zwarte?

— Ze droeg haar zwarte jurk...

— Die heeft ze aan het kamermeisje gegeven, evenals haar oude schoenen.

— Wanneer?

— Dat weet ik niet. Ik zal het aan mijn collega's vragen. U zult in ieder geval opgeroepen worden om op het bureau van het VIII^{ste} Arrondissement te verschijnen.

— En die witte japon?

— Die was van haar. De andere ook.

— De andere wat?

— De andere japonnen. Ze hebben er vier ge-vonden in de kast, en nog ondergoed, peignoirs, kousen, schoenen, twee of drie tasjes.

De lust kwam in hem op om te gaan staan,

zich kwaad te maken, die dikke man, die toch
vriendelijk en zonder ironie tegen hem sprak, in
het gezicht te slingeren:
— U liegt!
Alles was er méér naast dan ooit. Om te be-
ginnen paste de afwezigheid van Jeanne al niet
in de werkelijkheid zoals hij die kende. Wat haar
dood betreft, die leek hem steeds meer in strijd
met alles.
— Ja, meneer Jeantet, uw vrouw woonde al lang
op die kamer. Meer dan een jaar!
— Woonde?
— Nu ja, die kamer was voor haar gereserveerd,
ze had er haar kleren, ze ging er geregeld heen.
— Stond die kamer op haar naam?
Hij had bijna verbeterd:
— Op *mijn* naam . . .
— Op naam van een man.
— Wie?
— Op dit moment ben ik nog niet gemachtigd u
dat te zeggen.
— En was dat haar minnaar?
— Volgens het personeel van het hotel kwamen
ze daar een maal per week samen . . .
— Maar ze heeft nooit ergens anders dan thuis
geslapen!
— Het hoeft geen nacht te zijn om in *Gardénia*
samen te komen. Wij kennen dat hotel heel goed,
er komen heel veel paren 's middags . . .
— Dan heeft die man haar dus . . .
— Neen! Ik begrijp wat u zeggen wilt. Het per-
soneel is ondervraagd. Hij heeft woensdag geen

voet in het hotel gezet, gisteren ook niet, en vandaag helemaal niet... We hebben zijn huis opgebeld... Hij is niet in de stad op het ogenblik... Hij is zelfs heel ver buiten Frankrijk... Er is niemand op kamer 44 geweest, behalve de loopjongen die de bloemen bezorgd heeft die uw vrouw zelf besteld had, en om vijf uur de ober die de champagne gebracht heeft... Ze heeft toen nadrukkelijk gezegd dat ze niet gestoord wilde worden... De volgende dag, dat was dus gisteren, donderdag, heeft het kamermeisje tegen het eind van de morgen toch op de deur geklopt en toen ze geen antwoord kreeg dacht ze dat mevrouw nog steeds sliep... In de namiddag is ze door een ander kamermeisje afgelost. Omdat ze geen enkele opdracht gekregen had heeft ze zich niet bekommerd om kamer 44, ze dacht dat die leeg was... Pas vanmorgen werd dat eerste kamermeisje ongerust...

— Zodat ze waarschijnlijk al vanaf woensdagavond dood is?

— Dat zullen we in de loop van de avond horen, op zijn laatst morgenochtend.

De inspecteur klopte zijn pijp op de vloer leeg.

— Dat is alles wat ik u kan zeggen. Misschien dat mijn collega's van het VIII^{ste} Arrondissement u nog iets meer kunnen vertellen. Misschien dat u zelf, als u haar dingen, haar papieren eens nakijkt...

— Welke papieren?

— Haar correspondentie... Haar zakagenda...

— Ze schreef nooit aan iemand.

— Dat wil nog niet zeggen dat niemand ooit aan haar schreef.

— Ze kreeg nooit post.

Hoe zou ze in hun woning, waar alles zijn vaste plaats had, iets voor hem verborgen moeten hebben? Ze waren van de morgen tot de avond bij elkaar, van de avond tot de morgen; de deuren tussen de kamers bleven open en daar elk de geringste bewegingen van de ander hoorde kon hij zich al diens gebaren voorstellen.

Hij herinnerde zich bijvoorbeeld dat Jeanne eens, om een uur of vijf, vanuit het aangrenzend vertrek tegen hem gezegd had: — Denk erom, Bernard. Dat is je negende sigaret al.

Ze kon hem niet zien. Ze hoorde alleen het geluid van de lucifers en ze rook natuurlijk de geur van de sigaret!

Hij stond op en zijn gezicht was zonder uitdrukking.

— Heeft u mij nog nodig?

— Op het ogenblik niet. En ik zeg u nogmaals wat ik al gezegd heb: tanden op elkaar!

Gordes voegde er aan toe, terwijl hij met hem meeliep door de kamer ernaast:

— Weet u nog wel? . . . Eén geval op de duizend . . . En dan nóg!

Het was niet waar! Jeantet protesteerde niet, omdat hij wist dat dat geen zin had, dat niemand hem zou geloven! Maar hij had wel degelijk een eigen mening en hij was er zeker van dat niet hij, maar dat zíj zich vergisten.

Misschien had Jeanne het slaapmiddel ingenomen. Het was zelfs waarschijnlijk, want ze was gestorven. Misschien had ze ook in haar eentje een fles champagne leeggedronken, om zichzelf moed in te drinken. En het was ook nog mogelijk, dat zij op de gedachte gekomen was om de sprei met rozen te bedekken, een boeket in haar hand te nemen voor ze ...

Hij bleef op de trap staan. *Zij was dood.* Dat begon nu pas tot hem door te dringen. Zelfs 's morgens, in die kamer in de Rue de Berry, was het te ver van de realiteit verwijderd geweest.

Toen hij het bureau uitkwam, waarvoor een aantal fietsen stonden, liep hij bijna een klein mannetje ondersteboven dat juist naar binnen ging, keerde zich om om te zien of het inderdaad de vreemdeling met die papieren in alle kleuren was. Die ging opnieuw in de aanval, alleen tegen allen, tegen de wetten, de replementen, tegen het gehele overheidsapparaat, koppig, vol vertrouwen in zijn goed recht, in zijn eigen waarheid, zijn eigen logica.

Merkwaardig genoeg dacht hij niet aan de minnaar. Dat was, van alles wat men hem verteld had, hetgeen wat hem het minst getroffen had. Wat hem het meest bezig hield, was de jurk, de zwarte jurk en de oude schoenen die Jeanne aan het kamermeisje gegeven had. Die had hij graag terug gehad en als hij gedurfd had zou hij hard daarheen gelopen zijn om ze terug te vragen, terug te kopen desnoods.

Ze had zich in het wit gestoken. Ze was gestorven in een japon die hij haar nooit had zien aanhebben en ze had haar haar op een manier geschikt als hij nooit gezien had.

Ze had de zwarte jurk ook in de kast kunnen laten, of in een hoek, met de schoenen. Zou dat voor haar een groot verschil gemaakt hebben?

Een andere gedachte kwam in hem op. Hij liep naar een bushalte, ging in de rij staan. Het was het middaguur. Hij had nog steeds geen honger. Hij moest onmiddellijk terug naar de Rue de Berry om de brief te halen. Want hij was er zeker van dat Jeanne niet heengegaan was zonder hem te schrijven. Alles zou nu opgehelderd worden.

Men had gewoon vergeten hem de brief te overhandigen. Misschien ook hadden de mensen van het hotel niet geweten wie hij was. Hij bleef op het achterbalkon staan, voelde zich weer bijna geheel gerustgesteld nu hij op het punt stond opheldering te verkrijgen, en toen hij uit de bus gestapt was, liep hij weer op zijn gewone manier, met grote langzame passen.

Er stond geen agent meer voor de deur. Hij stapte naar binnen. Op de plaats van de dame met het grijze haar zat nu een veel jongere man met gepommadeerde haren, die bezig was de boeken te controleren alsof hij de eigenaar was.

— Wat wenst u?

— Mijn naam is Jeantet.

Die naam scheen hem niets te zeggen.

— Ja . . . ?

— Ik ben hier zoëven geweest met de politie, voor de identificatie van de overledene . . .

— Heeft u iets vergeten?

— De persoon die gestorven is, is mijn vrouw.

— O juist. Neemt u mij niet kwalijk . . .

— Ik weet zo goed als zeker dat ze een brief voor mij achtergelaten heeft, een boodschap . . .

— Dan moet u op het politiebureau zijn, want de heren van de politie hebben de inventaris van de kamer opgemaakt. Ze hebben verschillende dingen meegenomen en de deur verzegeld.

— Was u daar niet bij?

— Ik was niet eens in het hotel.

— Weet u soms wie er in de kamer was toen de politie kwam?

— Het kamermeisje van die etage moet er geweest zijn, want zij . . .

— Is die nog hier?

— Ik zal haar even roepen.

Zonder de blik van hem af te wenden sprak hij in de huistelefoon.

— Ze komt direct beneden . . . deelde hij mee.

Het was een van de vrouwen die Jeantet 's morgens in haar gestreepte schort op het portaal had gezien.

— Mijnheer Jeantet wou je graag iets vragen.

— Ik herken mijnheer.

— Weet u ook of de politie een brief gevonden heeft in de kamer?

— Een brief? herhaalde ze met een nadenkend gezicht.

— Ja . . . Of een papiertje . . . U was de eerste die naar binnen gegaan bent, is het niet?

— Ja . . . Ik heb zelfs . . . Maar ik spreek er liever

74

niet over, want de schrik zit me nog in mijn benen... Een brief, zegt u... Ik was zo van streek... Maar... Ja, nu u het zegt geloof ik, dat... Heeft u het niet aan de heren van de politie gevraagd?...

— Nog niet.

— Dan zou ik dat doen als ik u was... Die ijsemmer... Ik geloof dat daar iets vóór lag, op het blad, iets wits, vierkants, zoals een envelop ... Wacht eens... Ik heb het idee dat ik het een van de inspecteurs heb zien opnemen, dat hij er even naar keek en toen in zijn zak stak...

— Weet u niet welke dat was?

— Nee, op een gegeven ogenblik stonden ze met z'n achten in de kamer...

— Ik dank u wel.

Jeantet liep naar de uitgang, keerde op zijn schreden terug om het meisje een fooi in de hand te drukken.

— O! Dat had niet gehoeven...

Hij had alleen maar de brief te gaan halen. Hij had zich niet vergist. Ze had hem geschreven en alles zou opgehelderd worden.

IV

Hij zou wel heel verbaasd geweest zijn, wanneer men hem twee uur geleden bijvoorbeeld, toen hij uit de nachtmerrie van die kamer 44 kwam, of de vorige avond toen hij thuis roerloos zat te wachten tot het lot over hem zou beslissen terwijl hij het in stilte smeekte om het kort te maken, hij zou verbaasd en verontwaardigd geweest zijn, wanneer men hem gezegd had dat hij die dag zou gaan eten op het terras van een gezellig restaurant — dat behoorlijk duur bleek te zijn — in de Rue de Ponthieu.

Dat was geen vooropgezet plan geweest. Hij was eerst naar het politiebureau in de Rue de Berry gegaan dat een paar huizen van *Hôtel Gardénia* af was. Hij had daar dezelfde atmosfeer gevonden als in het bureau bij hem in de wijk, alleen telde hij hier acht personen, vijf jongelui die ongeveer gelijk gekleed waren en drie jonge vrouwen die op de bank zaten.

Een ogenblik was hij bang geweest dat men hem zou zeggen te gaan zitten op de bank, waar aan het eind nog een plaats vrij was. Aarzelend was hij naar de toonbank gegaan, vrezend dat men hem zou houden voor iemand die een pas kwam halen.

— Mijn naam is Jeantet. Ik ben de man van ...

— ... die vrouw die zelfmoord gepleegd heeft, ik weet het, ja. Heeft u de oproep al ontvangen?

Daar begon het weer opnieuw.

— Welke oproep?

— Ik dacht dat ik een poosje geleden een oproep voor u onder ogen had gehad. Een agent heeft hem op de fiets weggebracht met nog een paar andere. Als ik me niet vergis, verwacht de commissaris u morgenochtend.

— Ik kom niet voor de commissaris. Ik wou alleen graag heel even de inspecteurs spreken die de zaak behandelen.

— Die zijn gaan koffiedrinken. Of Sauvegrain
moest er nog zijn... Wacht u even...

Hij riep in de richting van een openstaande
deur, waaruit geratel van schrijfmachines klonk:
— Is Sauvegrain daar nog?
— Hij is vijf minuten geleden weggegaan met
Massombre...
— Is het voor een persoonlijke kwestie, meneer
Jeantet?
— Ja... Ik geloof het wel... Ik wilde nog iets
vragen over wat er in die kamer gebeurd is...

De brigadier keek bedenkelijk en mompelde:
— O, juist...

Dan, alsof het hem niet aanging:
— Komt u dan om twee uur nog eens terug...
Of liever iets later, want ze hebben een drukke
morgen gehad...

Toen hij weer op straat stond voelde hij opeens honger, iets wat hem in drie dagen niet
overkomen was. Terwijl hij over het trottoir
voortliep betrapte hij er zichzelf op dat hij bij
ieder restaurant begerige blikken naar binnen
wierp en tenslotte liet hij zich verleiden door de
tafeltjes met rode kleedjes op een terras in de
Rue de Ponthieu. Het feit dat er maar drie bezoekers op het terras zaten, drie mannen, stelde
hem gerust.

Hij had zelf niets meer in huis. Daar hij afgesproken had om twee uur op het politiebureau
terug te komen, had hij geen tijd meer om naar
de Porte Saint-Denis terug te keren en inkopen
te doen. Bovendien had hij zijn leven als weduw-

naar nog niet georganiseerd, had daar zelfs nog geen moment aan gedacht.

Het was een ogenblik van rust, een pauze, een maaltijd die niet meetelde. Hij kreeg een vreemd gevoel toen hij heel alleen ging zitten en het gehectografeerde menu bekeek dat de kelner hem aanreikte. Hij schrok van de prijzen, maar, nogmaals, dit was een bijzonder geval zoals daarvoor nooit was voorgekomen en ook wel nooit meer voor zou komen. Er bestond geen gevaar dat dit een precedent zou vormen.

Sedert lang, verscheidene maanden, had hij niet in een restaurant gegeten, want hij gevoelde een zekere tegenzin, misschien ook een zekere angst, om inbreuk te maken op de regels van hun bestaan zoals die gegroeid waren, om de grenzen te overschrijden van het raam dat langzamerhand hun leven was gaan omsluiten.

Hij voelde zich onhandig, lachwekkend zelfs en bestelde de *hors-d'oeuvre variés*.

— Met meloen en Parmesaanse ham?

Hij durfde geen neen zeggen, evenmin als hij de gebakken niertjes die hem aanbevolen werden, dorst te weigeren.

De drie mannen aan het tafeltje naast hem spraken over de reis die twee van hen die middag zouden ondernemen. Zij gingen naar Cannes en er was sprake van een Amerikaanse auto die ergens onderweg op geheimzinnige wijze omgeruild zou moeten worden met een andere wagen. Was het een gestolen wagen? Toen hij in het restaurant naar binnen keek zag hij daar nog meer bezoekers die er min of meer louche uitzagen en gedurende de hele maaltijd keek een der vrouwen, die op de hoge krukken aan de bar zaten, hem voortdurend aan alsof ze op een wenk van hem wachtte.

Hij voelde zich geïmponeerd door het milieu waarin hij zich bevond, hij was bijna vergeten dat er zo'n wereld bestond, een wereld die hij overigens alleen maar uit de kranten kende.

Hoeveel mensen kende hij in Parijs, onder die miljoenen menselijke wezens te midden van wie hij al zo vele jaren woonde? Hij had zijn broer Lucien en zijn zuster Blanche gekend toen ze nog kinderen waren; later had hij ze nog wel eens opgezocht, Lucien die getrouwd was en huisvader, in zijn buitenhuisje in Alfortville waar hij zo trots op was, Blanche die vroedvrouw geworden en ongetrouwd gebleven was, en zich in een waas van geheimzinnigheid hulde.

Sedert acht jaar kwam hij niet meer bij hen, maar zonder dat ze ongenoegen met elkaar gehad hadden. Men kon bijna zeggen dat hij het vergeten was om ze te gaan opzoeken.

Bij *Art et Vie*, in de Rue François-Ier, ontmoette hij iedere woensdag journalisten, critici, tekenaars, soms bekende schrijvers, die evenals hij in de wachtkamer zaten te wachten. De meesten waren min of meer bevriend met elkaar en praatten onderling terwijl hij stil in zijn hoekje zat met zijn tas of zijn grote tekenportefeuille naast zijn stoel.

Hij wachtte tot het zijn beurt was om naar

binnen te gaan bij mijnheer Radel-Prévost, de secretaris van de redactie, een knappe man met hoffelijke manieren, in een indrukwekkende kamer waar overal foto's in zilveren lijsten stonden van zijn vrouw, zijn zoon en zijn dochter. Zijn gezin was, met het tijdschrift, zijn grote hartstocht en als zijn dagtaak geëindigd was sprong hij in zijn sportwagen om zo snel mogelijk naar huis, dertig kilometer buiten Parijs, te rijden.

Sommige foto's waren bij een zwembad genomen, waarschijnlijk een eigen zwembad bij zijn villa.

Ze gaven elkaar een hand, spraken over de opmaak van een artikel, het evenwicht van een dubbele pagina in kleuren maar nooit over persoonlijke zaken. Eén maal slechts had mijnheer Radel-Prévost hem gevraagd:

— Heeft u ook kinderen?

— Neen.

— O.

Jeantet had zich gehaast eraan toe te voegen:

— Ik had ze wel graag gehad.

Misschien was dat ook wel zo. Hij was er niet zeker van. Wat Jeanne betreft, als zij het al graag gewild had dan had ze daar toch niet met hem over durven spreken omdat ze wist dat hij haar die niet kon geven.

Hij voelde zich hier, vlak bij de Champs-Elysées, zo ver van zijn eigen buurt dat hij zich als een vreemdeling voelde. Het scheen hem toe dat de voorbijgangers anders gekleed waren, een andere taal spraken, tot een ander ras behoorden

dan de mensen op de Boulevard Saint-Denis. Af
en toe keek hij op zijn horloge, want hij was
bang om te laat te komen, alsof hij een echte
afspraak had.

En dan kende hij natuurlijk juffrouw Couvert
nog, wist dat zij de oudste huurster in het huis
was, dat ze er al eenenveertig jaar woonde. Hij
wist echter niet in welke verhouding ze stond
tot de jongen wiens achternaam hij niet kende.

Op de Faubourg Saint-Honoré, waar het re-
clamedrukwerk voor een aantal luxe zaken ver-
zorgd werd, zag hij de beide directeuren, de
gebroeders Blumstein, nooit dan toevallig, bijvoorbeeld als er juist een deur openging. Iedereen sprak gemeenzaam over mijnheer Max en
mijnheer Henry. Maar hij sprak daar alleen
maar, aan het eind van een gang, ver van de
luxueuze vertrekken waar de cliënten ontvangen
werden, een klein kaal mannetje dat lange tijd
journalist geweest was en dat de teksten en slag-
zinnen opstelde die Jeantet moest lay-outen. Hij
heette Charles Nicollet en was meneer Charles
geworden.

Iedere week klopte Jeantet als hij bij meneer
Charles vandaan kwam, in een andere gang aan
een loket en daar moest hij dan twee maal zijn
handtekening zetten alvorens de kassier hem een
cheque overhandigde voor het werk dat hij de
vorige week afgeleverd had.

Kon hij beweren dat hij meneer Charles kende? Deze nam pillen in voor zijn maag, rossige
haren krulden uit zijn neus en zijn oren. Waar

en hoe hij woonde, met wie, waarom, met welke verwachtingen, daar had Jeantet niet het geringste idee van.

Zijn contact met de *Imprimerie de la Bourse* had ook een onpersoonlijk karakter, maar was toch anders; de mensen die er in grijze stofjassen rondliepen en wier huid even grijs was als het lood waarmee ze de gehele dag werkten, betoonden hem een zekere sympathie, maar een sympathie die uitsluitend in het vlak van het werk lag.

Op zijn beurt was hij nu niet meer meneer Jeantet voor hen, maar meneer Bernard. Ze respecteerden hem, benijdden hem ongetwijfeld omdat hij niet de hele dag opgesloten zat onder het groenige glazen dak en na een uur of twee werken aan de correctiesteen weer weg kon gaan en op straat wandelen.

Verder kende hij per slot niemand. Gestalten. Gezichten. De vrouw uit de melkwinkel, mevrouw Dorin, en haar man met zijn donkere snor, die iedere morgen om vijf uur naar de Hallen ging, het meisje met de blozende wangen dat bij hen in dienst was en de melk bezorgde, de slager, de stugge bakkersvrouw, de Elzassische eigenaar van het café, een hele menigte, zeker, maar met even weinig samenhang als de rijen kinderen op de schoolfoto's die aan het eind van het cursusjaar gemaakt worden.

Hij kende Jeanne. En nu kwam daar iemand die haar niet kende, een bekrompen politieman die de mensen in enkele categorieën indeelde, beweren haar beter te kennen dan hij.

Had inspecteur Gordes woensdagavond niet beweerd dat ze leefde? Maar ze was wel degelijk dood. Nu dan?

Vanmorgen was hij menselijker geweest, omdat men altijd op een bepaalde manier spreekt tegen mensen die zojuist door een ongeluk getroffen zijn. Toch had hij het, op het laatste moment, niet kunnen laten om nog even zijn *éne geval op de duizend* ter sprake te brengen.

Jeantet at. Met zijn ogen volgde hij de voorbijgangers. Hij luisterde nog steeds, ongemerkt, naar het gesprek van de drie mannen die armagnac bij hun koffie besteld hadden. Zelf dronk hij, hoewel hij gewoonlijk maar heel weinig wijn gebruikte, gedachteloos de beslagen karaf met witte wijn leeg.

Hij wilde nog niet denken aan de problemen waarvoor hij gesteld zou worden als hij straks weer thuiskwam op de Boulevard Saint-Denis, waar hij om zo te zeggen bezit zou nemen van zijn eenzaamheid. Eerst moest hij de kwestie van de brief regelen.

Hij kwam om vijf minuten over tweeën op het politiebureau aan. De brigadier die hem de eerste keer ook te woord gestaan had, keek op de klok.

— U bent nog een beetje te vroeg . . .

Op de bank zag hij dezelfde gezichten, in dezelfde volgorde; een van de jongens zat te slapen met zijn hoofd achterover tegen de muur geleund, zijn mond open, het boord van zijn overhemd wijd opengeslagen.

— Komt u maar hierheen ... Ik zal u naar de kamer van de inspecteur brengen ...

Hij opende een deurtje in de toonbank en bracht Jeantet naar een grote kamer waar zes tafels stonden. Er was niemand. De brigadier wees hem een stoel.

— Gaat u zitten. Ze zullen zo wel komen ...

Op een der tafels, waar de schrijfmachine naar achteren geschoven was, zag hij met verrassing japonnen liggen, ondergoed, schoenen, alles doorelkaar, als voor een verhuizing of een reis. Hij durfde niet op te staan, van dichtbij te gaan kijken. De deur was open blijven staan en hij wilde niet onbescheiden lijken. Waren dat de kleren waarover Gordes met hem gesproken had, de kleren die in de kast aangetroffen waren?

Ze verschilden even zeer van die welke Jeanne altijd droeg, als het restaurant waar hij zojuist gegeten had van het chauffeursrestaurantje in de Rue Sainte-Apolline. Alles was zijdeachtig, fijn, licht en kleurig; het deed eerder denken aan foto's in tijdschriften of aan actrices op het toneel dan aan de vrouwen die men op straat tegenkomt.

De schoenen hadden zulke hoge, zulke puntige hakjes, dat het onmogelijk zijn moest daar op te lopen; één paar was van zilverbrokaat, een paar pantoffels ernaast van oudrose fluweel, gegarneerd met zwanedons.

Hij wiste zijn voorhoofd af, aarzelde of hij een sigaret zou opsteken, deed het niet hoewel de asbakken op de tafels vol peukjes lagen.

Hij hoorde stemmen door de openstaande deur.
— Er zit iemand te wachten hiernaast ...
— Wie?

Gefluister. Ze hadden het over hem, over de echtgenoot, de weduwnaar. Er kwamen twee mannen tegelijk naar binnen, die hij, daar was hij bijna zeker van, 's morgens ook gezien had.
— Inspecteur Massombre, stelde de ene zich voor terwijl hij achter zijn bureau plaats nam en de ander naar de kast in de hoek liep om er zijn colbert weg te hangen. De commissaris heeft u voor morgenochtend negen uur besteld. De oproep moet al bij u thuis liggen, want die is door een agent op de fiets weggebracht.

De inspecteur nam een sigaret, hield Jeantet zijn pakje voor.
— Rookt u?
— Graag.

Jeantet gaf vuur. De inspecteur was jonger dan Gordes, zag er verzorgder uit dan Gordes, meer zoals zijn buren in het restaurant.
— U wilde mij iets vragen, als ik het goed begrepen heb?
— Was u vanmorgen in het hotel?
— Sauvegrain en ik waren daar als eersten, ja.

Uit zijn blik viel op te maken dat Sauvegrain degene was die zijn colbert uitgetrokken had en die begonnen was met twee vingers op de schrijfmachine te tikken.
— Dan bent u waarschijnlijk degene die de brief heeft?

Jeantet zat niet helemaal met zijn rug naar inspecteur Sauvegrain, maar hij kon hem ook niet in zijn gezicht zien. Hij zag alleen een schim, op de grens van zijn gezichtsveld. Toch kreeg hij duidelijk de indruk, bijna de zekerheid, dat Sauvegrain met een werktuiglijk gebaar zijn zakken betastte. Trouwens, het geratel van de schrijfmachine zweeg een ogenblik.

Massombre echter keek verbaasd.

— Welke brief bedoelt u?

— Die op het tafeltje lag, bij de ijsemmer.

— Zeg, heb jíj daar iets over gehoord?

— Waarover?

Was dat niet om tijd te winnen dat de ander dat vroeg?

— Over een brief die gevonden is bij de ijsemmer.

— Door wie?

— Door wie? herhaalde Massombre, zich weer tot Jeantet wendend.

— Dat weet ik niet. Maar ik weet zeker dat mijn vrouw mij geschreven heeft.

— Kan ze de brief niet op de post gedaan hebben?

— Neen. Hij is gezien op het tafeltje.

— Wie heeft hem gezien?

— Een kamermeisje.

— Welk kamermeisje?

— Haar naam ken ik niet. Ze is donker, nogal dik, niet zo jong meer, en spreekt met een accent.

— En heeft die het met u over een brief gehad? Bent u nog naar *Hôtel Gardénia* teruggegaan?

— Om twaalf uur ... Even over twaalven ...
Van daar ben ik regelrecht hierheen gekomen
en de brigadier zei me ...
— Heb jij de inventaris, Sauvegrain?
— Die ben ik juist aan het tikken. Wil je het klad?

Papieren die met potlood beschreven waren.
De lippen van de inspecteur bewogen terwijl hij
de lijst door liep. Men kon de woorden raden.
Zoveel japonnen. Zoveel hemdjes. Zoveel paar
schoenen. Zoveel broekjes, beha's. Drie tasjes ...
— Ik zie nergens een brief genoemd ...

Juist op dat moment draaide Jeantet zijn
hoofd om en betrapte inspecteur Sauvegrain
erop, dat hij in de zakken van zijn colbert dat
in de muurkast hing, zocht. Was dat toeval?
Probeerde hij niet hem op een dwaalspoor te
brengen met er een zakdoek uit te halen?
— Het spijt me, meneer Jeantet. Ik heb er geen
idee van, wat dat kamermeisje bedoeld heeft.
Heb jij de verklaringen, Sauvegrain? Een vrouw
met een accent, dat moet die Italiaanse zijn,
Massoletti, als ik me wel herinner ...

Sauvegrain bracht hem weer andere vellen en
zijn lippen bewogen opnieuw.
— Ze heeft ons niets over een brief verteld. Wat
heeft zij u precies gezegd? Wacht eens! U heeft
haar te spreken gevraagd, veronderstel ik? En
toen heeft u het eerst over een brief gesproken?
— Ik was er zeker van dat mijn vrouw ...
— In dat geval is het waarschijnlijk dat ze ja
tegen u gezegd heeft om u niet teleur te stellen ...

— Ze heeft een inspecteur een enveloppe in zijn zak zien steken.

— Weet ze ook wie dat was? Heeft ze gezegd hoe hij er uitzag?

— Neen.

— Wist ze zeker dat het een enveloppe was?

Het zweet parelde op het voorhoofd van Jeantet die zich bij elk volgend antwoord meer terrein voelde verliezen.

— Niet helemaal, maar...

— Luistert u eens. Wij hebben geen enkele reden om ook maar iets voor u te verbergen, aangezien u immers de echtgenoot bent. Bent u in gemeenschap van goederen gehuwd? Dat is een van de vragen die de commissaris u morgen stellen zal.

— Wij hebben geen huwelijkscontract.

— Gemeenschap van goederen dus. Dan behoort alles wat u daar op die tafel ziet liggen, u toe.

Hij wees op de stapel japonnen en ondergoed.

— Zodra alle formaliteiten afgelopen zijn, kunt u...

Jeantet schudde zijn hoofd.

— Alleen die brief interesseert me.

— We zullen zoeken. We zullen al het mogelijke doen... Sauvegrain! wil jij nog eens kijken of daar geen brief tussen geraakt is...

Een andere inspecteur kwam binnen.

— Je komt als geroepen, Varnier... Heb jíj vanmorgen een brief gezien in *Gardénia*?

— Wat voor een brief?

— Een kamermeisje beweert dat er ergens een brief lag.

— Op het tafeltje, bij de champagnefles, verduidelijkte Jeantet, met het gevoel dat men zijn brief hoe langer hoe onwaarschijnlijker, ongrijpbaarder trachtte te maken.

— Niets gezien.

En Sauvegrain die met zijn vingers door het zijdeachtige goed gewoeld had, deelde mee:

— Niets van een brief of papiertje te bekennen.

— En in de tasjes?

— Niets. En er zat zelfs geen identiteitsbewijs in, valt me nu ineens op.

— Maar mijn vrouw had er wel een.

— In een van deze tasjes?

— Neen. In haar eigen tas.

— En waar is die tas?

— Dat weet ik niet.

— Heeft ze die meegenomen toen ze wegging?

— Ja.

— Zat er veel geld in?

— Een paar honderd francs.

— Het is wel goed om dat even te noteren, Sauvegrain.

— Dat heb ik al gedaan.

— Zet het ook in het rapport.

Massombre keek als iemand die moeilijkheden verwacht en zag Jeantet aan met een blik die beleefd maar tegelijk gemelijk was.

— U kunt er zeker van zijn dat wij de hand op die brief zullen leggen, als die bestaat.

— Hij bestaat.

— Nu u hier toch bent, kunt u ons ook zeggen of uw vrouw familie heeft?

— Ja, haar ouders, broers en zusters ...
— In Parijs?
— In Esnandes, vlak bij La Rochelle.
— Noteer je het even, Sauvegrain?
— Goed. Hoe wordt die naam geschreven?
Hij spelde hem.
— En de naam?
— Moussu ... Haar vader is mosselkweker ...
— Kent u hem?
— Ik heb hem nooit gezien en zijn vrouw ook niet.
— Waar is uw huwelijk voltrokken?
— Op het raadhuis van het II^{de} Arrondissement.
— Zijn de ouders daar niet voor overgekomen?
— Neen.
— Waren ze het er niet mee eens?
— Ze hadden hun toestemming schriftelijk gegeven.
— Ging hun dochter ze wel eens opzoeken?
— De laatste acht jaar niet. Hoe het daarvoor was, weet ik niet.
— Heeft ze geen familie in Parijs?
— Ze heeft het wel eens gehad over een broer, die tandarts moet zijn in een van de buitenwijken.
— Kwam ze daar ook nooit?
— Niet dat ik weet.
— Verder niemand?
— Vier of vijf zusters en nog een broer, allemaal in Charente-Maritime.
— De ouders moeten op de hoogte gebracht worden vóór de begrafenis. Wilt u dat op u nemen?

Daar had hij niet aan gedacht. Het woord begrafenis deed hem zijn wenkbrauwen fronsen, want dat riep allerlei moeilijkheden op die hem bijna onoverkomelijk leken.

— Hoe gaat dat? vroeg hij.

— Wat bedoelt u?

— Morgen ... Nadat ...

— Nadat wat?

— Inspecteur Gordes heeft het over sectie gehad.

— Die heeft vanavond plaats, ja. Morgenochtend, als u bij de commissaris geweest bent en een paar papieren hebt getekend, kunt u over het stoffelijk overschot beschikken ...

Hij voelde zich niet op zijn gemak, zo onder de blikken van drie mannen die hem alle drie als een soort wonderdier schenen te beschouwen en af en toe geheimzinnige blikken van verstandhouding wisselden.

Hij had heel goed kunnen antwoorden:

— En wat moet ik daar dan mee doen?

Hij zweeg. Maar de vraag stond niettemin in zijn ogen te lezen. Zijn handen waren klam. Hij was even hulpeloos als op de dag toen hij moedernaakt, zich schamend voor zijn grote lichaam met de te blanke huid, temidden van gelach voor de militaire keuring verschenen was.

— Bent u in Parijs geboren?

— In Roubaix.

— Dan heeft u zeker geen graf op een van de kerkhoven in Parijs?

Hij schudde verbijsterd van neen.

— Het zal van u en van de familie afhangen wat

er gebeurt. Van u in de eerste plaats omdat u als echtgenoot alle rechten bezit. Als u zich ermee belast, zou ze op het kerkhof van Ivry begraven kunnen worden en dan zou ik u aanraden zo spoedig mogelijk naar een begrafenisonderneming te gaan die voor de formaliteiten zal zorgen. Als de familie haar in Charente wil hebben en u gaat daarmee accoord, dan zullen er maatregelen voor het vervoer getroffen moeten worden maar dat zal, in dit seizoen, met de warmte en de vakanties, niet gemakkelijk zijn. Ik vraag me zelfs af, gezien de toestand van het ... van ...

Hij durfde niet te zeggen: het lijk.

— ... gezien de omstandigheden, of de spoorwegen wel genegen zullen zijn ...

Jeantet zag hen nu door de zweetdruppels heen die aan zijn wimpers hingen.

— Maar of de begrafenis nu in Ivry of in de provincie plaats heeft, waar het lichaam vóór die tijd moet blijven staat ook aan u om te beslissen. Is het uw bedoeling haar zolang thuis te hebben?

Het waren allemaal dingen waar hij niet eerder aan gedacht had en daarom had hij moeite om het allemaal te begrijpen. Hij was nog niet zo ver, hij was nog bij het leven met Jeanne in hun woning op de Boulevard Saint-Denis, bij de brief, en men stelde hem zakelijke vragen waarop hij geen antwoord wist.

— Ik vraag u niet om onmiddellijk te beslissen, en, trouwens, dit zijn dingen waar ik niets mee te maken heb. Ik ben alleen zo vrij geweest om er met u over te spreken, opdat u er over kunt nadenken. De familie vindt het in het algemeen niet prettig als de stoet van het Instituut voor Gerechtelijke Geneeskunde vertrekt...

Massombre stond op, reikte hem de hand. De beide anderen bleven zitten. Op het ogenblik dat hij de kamer uitging zocht hij de blik van Sauvegrain en hij was ervan overtuigd dat deze zich met opzet over zijn schrijfmachine boog.

Toen hij, een uur geleden, zat te eten voelde hij zich goed, bijna in contact met de wereld om hem heen, en het scheen hem toe dat de overgang niet al te moeilijk zou zijn. Omdat hij van nu af aan weduwnaar was zou hij zijn best doen om zich aan zijn nieuwe staat aan te passen, zonder daarom Jeanne te verliezen, die haar plaats zou blijven behouden. Dat had hij hen niet trachten uit te leggen, want hij was er zeker van dat ze het niet begrepen zouden hebben.

Nu hadden ze hem opnieuw zijn gemoedsrust ontnomen. Gelukkig dat hij enkele dingen te doen had, want daardoor verloor hij niet alle grond onder zijn voeten. Eerst ging hij naar een postkantoor en verzond een telegram:

De heer en mevrouw Germain Moussu
te Esnandes, Charente-Maritime

Jeanne overleden stop verwacht advies
voor begrafenis stop Bernard Jeantet

Hij wist verder niets te zeggen, geen enkele formule om er nog aan toe te voegen. Hij kende ze niet.

Hij liep de Faubourg Saint-Honoré af zoals hij dat woensdag gedaan had maar ditmaal zonder het grote gebouw binnen te gaan waar de zaak van de gebroeders Blumstein twee etages in beslag nam.

Hij had beloofd daar komende woensdag werk af te leveren waar haast bij was en hij zou dat, niet morgen natuurlijk vanwege zijn afspraak met de commissaris en alles wat daarop nog zou volgen, maar zondag bijvoorbeeld moeten doen.

Hij herinnerde zich een agentschap van een begrafenisonderneming ergens op de Boulevards, en daar bracht hij meer dan een half uur door, kwam er vandaan met zijn zakken vol prospectussen en prijscouranten.

Hij had zich geen enkele beslissing laten afdwingen, behalve de bestelling van een eikenhouten kist, en de vertegenwoordiger van de onderneming had beloofd persoonlijk naar het Instituut voor Gerechtelijke Geneeskunde te gaan om de maten van het lichaam op te nemen.

Men sprak over het lichaam. Men had het over de overledene. Dat scheen hem vreemd, maar de woorden kwetsten hem niet, wekten niet de minste emotie in hem. Het was onwezenlijk. Het ging hem niet aan. Men had even goed over een volslagen onbekende met hem kunnen spreken.

Daarstraks, op het politiebureau in de Rue de Berry, toen ze hem de keus tussen twee begraafplaatsen schenen te geven, had hij hun bijna, vol ergernis, toegeroepen:

— Doe maar met haar wat jullie willen!

Wat de man van de begrafenisonderneming betreft, die zou er wel van overtuigd zijn, dat Jeantet een man zonder hart was die misschien nog wel blij was dat hij zijn vrouw kwijt was.

Zowel hier als daar beschouwde men hem als een zonderling, als een natuurwonder, en omdat hij niet de moed had gehad om zich tot het einde toe te verdedigen, was het zo goed als zeker dat ze haar morgen bij hem thuis zouden brengen.

Die gedachte had iets stuitends voor hem, hij had niet precies kunnen zeggen waarom.

Dat kwam niet, in tegenstelling tot wat zij misschien zouden denken, door die geschiedenis van het hotel en de zelfmoord.

Misschien, als Jeanne in zijn armen op de Boulevard Saint-Denis gestorven was ...

En zelfs dan! ... Neen! Die man had hem foto's laten zien van rouwkamers, van rouwfloersen met zilveren initialen om rond de ingang van het huis te draperen. Welke van de twee? Het donkere gat, naast het terras op de Boulevard? Of de ingang in de Rue Sainte-Apol line, tegenover het rendez-voushuis?

Hij had het ook over een tafel van bepaalde afmetingen gehad voor de lijkkist en er snel aan toegevoegd dat als Jeantet zo'n tafel niet bezat, hij wel voor schragen zou zorgen.

In welke kamer zou dat allemaal gezet worden? In het atelier? In de eetkamer? Dat lag meer voor de hand, want dat was immers het domein van Jeanne? Maar was de eetkamer niet te klein?

En waarom? Voor hem? Hij zou al die tijd alleen zijn met die kist tussen twee brandende kaarsen...

Hij had weinig lust meer om naar huis terug te gaan. Hij was de brief niet vergeten. Hij dacht er meer aan dan ooit, sedert hij vermoedens, of juister, duidelijke aanwijzingen had.

Zeker, hij had het Italiaanse kamermeisje een poosje ondervraagd voordat haar die brief, of papiertje, of enveloppe, dat wist ze niet precies, te binnengeschoten was. Maar had ze niet uit zichzelf verteld dat ze zich het gebaar herinnerde van een inspecteur die iets bij de champagnefles wegnam, er een blik op wierp alsof hij las, en toen in zijn zak stak?

Jeantet beweerde niet dat daar iets verdachts in school. Hij beschuldigde niet. Dat gebaar was ongetwijfeld heel natuurlijk, werktuiglijk. Ze waren, met meerderen, bezig de kamer te doorzoeken, naar aanwijzingen te speuren, legden alles opzij wat ze nodig hadden voor hun rapport. Ze hadden de japonnen, het ondergoed, de schoenen, de tasjes ook meegenomen. Het glas en het buisje van de tabletten hadden ze naar het laboratorium gestuurd. De brief zou nog wel gevonden worden...

Het bewijs dat hij zich niet vergiste, dat het niet alleen maar verbeelding was, was dat Sauvegrain op het bureau zichtbaar verlegen geweest was toen de brief ter sprake gekomen was. Hij had de vraag laten herhalen hoewel hij stellig aandachtig had zitten luisteren naar wat er gezegd werd. Hij had in zijn zak gevoeld en even later had Jeantet hem erop betrapt dat hij aan het zoeken was in de kast, waaruit hij zogenaamd een zakdoek ging halen.

De waarheid was dat hij de brief meegenomen had en niet meer wist waar hij hem gelaten had. Hij weigerde dat toe te geven. Hij zou er zonder twijfel overal naar gaan zoeken, maar als hij hem niet vond was het te verwachten dat hij met de grootste stelligheid zou ontkennen er iets van af te weten.

Jeantet was besloten om hem vast te zetten. Hij zou wel zorgen, als het moest, dat de inspecteur met het kamermeisje geconfronteerd werd, en er was alle kans dat ze hem zou herkennen.

Het lichaam konden ze houden, als ze dat wilden, maar zijn brief zouden ze hem teruggeven. Die behoorde hem toe. Hij bezat geen foto van Jeanne. Hij zou de zwarte jurk niet terugkrijgen, noch haar oude tasje dat met haar identiteitsbewijs erin verdwenen was.

Hij kon daarin berusten, mits hij de brief maar kreeg.

Hij liep voort, zonder zich bewust te zijn dat de voorbijgangers hem nakeken omdat hij zijn weg vervolgde met zijn grote, trage stappen zonder iemand te zien, de blik recht voor zich uit, zo ver, zo strak, dat sommigen vol nieuwsgierigheid ook in de verte keken. Maar tot hun teleurstelling zagen ze, in plaats van een of ander bijzonder schouwspel, niets dan rijen huizen, een stuk van de onweersachtige lucht, bussen, auto's, duizenden menselijke wezens, groot of klein, dik of mager, in lichte of donkere kleren, die zich in alle richtingen voortbewogen.

Dat alles verdween plotseling, alsof er een luik dichtviel, toen hij naar binnen ging, over de donkere binnenplaats liep waar de man van de concierge nog altijd aan zijn stoel zat te werken en toen hij de trap opliep, waarvan zijn voeten iedere trede kenden.

De oproep die onder de deur geschoven was, was geel. Hij raapte hem op, hing zijn hoed op, boven de regenjas, ging in zijn leren fauteuil zitten met gestrekte benen en keek naar de muur.

V

Die nacht kon hij in zijn bed slapen, uitgekleed, tussen de lakens, want hij hoefde niet meer te wachten.

Juffrouw Couvert was de oorzaak geweest dat hij niet thuis gegeten had zoals zijn plan was omdat hij er toch weer aan zou moeten wennen om zelf zijn maaltijden klaar te maken en alleen te eten. Toen hij op het punt stond uit te gaan om boodschappen te doen in de winkels in de buurt, had Pierre aan de deur geklopt. Hij zat nog in zijn stoel na te gaan wat hij halen moest, en te bedenken wat hij zou zeggen tegen mevrouw Dorin, tegen de bakkersvrouw en de slager voor het geval dat ze hem vragen zouden stellen.

— Kom maar binnen, Pierre . . .

De knaap verroerde zich niet, bleef hem in de

deuropening met zijn hand op de kruk aan staan kijken, alsof hij een ander mens geworden was, een vreemd wezen, en hij zei met een onpersoonlijke stem:

— Juffrouw Couvert vraagt of u even boven wilt komen.

Toen was hij hard weggelopen, de trap weer op. Jeantet was hem, langzamer, gevolgd en hoewel de deur aan stond had hij toch maar geklopt.

— Binnen.

De stem van de oude juffrouw was ook niet zoals anders. Hij voelde dat er iets onaangenaams zou komen. Hij begreep dat ze gehuild had, want ze snoof nog en had een zakdoek in haar hand. Haar bril met de dikke glazen en stalen montuur lag op een opengeslagen krant.

Hij had het altijd een nare lucht gevonden in het appartement van de naaister, en haar zelf had hij per slot ook nooit gemogen, maar om Jeanne en ook om Pierre had hij dit nooit laten blijken.

Ze keek hem niet aan, maar hield haar blik op de krant gericht, met opzet, want zij behoorde tot het soort mensen dat niets zonder bepaalde bedoeling doet.

— Wanneer heeft u het gehoord? vroeg ze.

— Vanmorgen...

— En u bent niet even boven gekomen om het mij te vertellen?

Ze veegde langs haar neus, haar ogen.

— Ik heb het uit de krant moeten horen! Pierrot heeft het me voorgelezen...

De jongen stond met zijn rug tegen het raam Jeantet nog steeds aan te kijken met een nieuwsgierigheid die al gemengd was met vijandigheid.

— Ik zat me hier maar op te winden. Ieder ogenblik stuurde ik dat kind erop uit om te gaan vragen of u al iets wist. En daar, opeens ...

— Het spijt me heel erg. Ik had heel veel te doen. Ik ben bijna de hele dag weg geweest ...

— Heeft u ook gehoord of ze nog geleden heeft?

Hij voelde zich beschaamd dat hij daar niet aan gedacht had, wist niet wat hij moest antwoorden, bleef zich onhandig verdedigen.

— Ziet u, er waren zoveel formaliteiten te vervullen ...

— Hoe ziet ze er uit?

Hij wierp een blik op Pierre en zweeg. Hield ze zijn stilzwijgen voor onverschilligheid?

— Wanneer wordt ze thuisgebracht?

— Dat staat nog niet vast. Morgenochtend moet ik bij de commissaris komen. Ik heb de ouders getelegrafeerd.

— Heeft u haar broer gewaarschuwd?

— Ik weet niet waar die woont.

— In Issy-les-Moulineaux.

— Weet u dat van haar zelf?

— Ze had het vaak over hem, en ook over een getrouwde zuster die in Engeland woont.

— Heeft ze een getrouwde zuster in Engeland?

— En goed getrouwd ook, met een grootgrondbezitter die vaak op jacht gaat.

Hij wist daar niets van en in plaats van hem te beklagen scheen zij hem zijn onwetendheid kwalijk te nemen. Misschien was er niets waar van die verhalen over een broer en een zuster. Ze had hem in het begin ook allerlei verhalen verteld.

— Ze vertelde mij minder dan u ... zei hij, menend haar daarmee genoegen te doen.

Maar hij vergiste zich. Het gezicht van de oude vrouw verstrakte, alsof ze nog veel meer wist doch er de voorkeur aan gaf om maar te zwijgen.

— Ik heb gedaan wat ik kon om haar gelukkig te maken ...

Hij scheen zich te verdedigen, maar dat viel niet in goede aarde. Pierre keek gespannen van de een naar de ander met een gezicht of hij er alles van begreep. Juffrouw Couvert zweeg een ogenblik, vond toen haar antwoord.

— *Ze probeerde niet eens gelukkig te zijn ...*

Misschien was het ook weer verkeerd van hem dat hij haar niet vroeg wat ze precies bedoelde. Ze had niet zo maar iets gezegd. Ze verwachtte hoogstwaarschijnlijk vragen van zijn kant en wie weet wat ze nog voor hem in petto had.

Toen hij maar steeds bleef staan zwijgen, zuchtte ze tenslotte:

— Enfin! ...

Dan, op de krant wijzend:

— Heeft u het gelezen?

Hij had niets gelezen. Hij had de laatste drie dagen niet de nieuwsgierigheid gehad om een krant in te zien. Hij las vluchtig de weinige regels die aan het gebeurde gewijd waren, onderaan de derde pagina: *Een zekere Jeanne Jeantet, geboren Moussu, 28 jaar, gehuwd, zonder kinderen, wonende op de Boulevard Saint-Denis te Parijs, heeft zich in een hotelkamer in de Rue de Berry van het leven beroofd door de inhoud van een buisje gardenal in te nemen.*

Er werd niet over de champagne gesproken, of over de japonnen. Wel voegde het blad er nog aan toe:

Alvorens zich op haar doodsbed uit te strekken heeft de ongelukkige dit bedekt met rozen en zij werd aangetroffen met een groot boeket in haar hand.

Hij bleef niet langer bij de oude naaister. Ze trachtte niet hem vast te houden. Ze had gezegd wat ze te zeggen had en hij begreep dat hun verhouding voortaan steeds koeler zou worden.

Al liet dat hem onverschillig, hij zag daar toch zoiets als een teken in. Men was boos op hem, zonder bepaalde reden, alsof men hem verantwoordelijk stelde voor wat er gebeurd was.

Hij had niet de moed om mevrouw Dorin onder de ogen te komen, en nog minder de bakkersvrouw met haar stuurse gezicht, met die stalen grijze ogen in het indrukwekkend witte gezicht. Alle winkeliers hadden natuurlijk de krant gelezen of over het nieuws horen spreken.

De politiemannen hadden hem ook op een bijzondere, onzekere manier aangekeken. Was hij daar zelf de schuld van, omdat hij de passende houding in de gegeven omstandigheden niet gevonden had?

Hij ging maar liever eten in een klein restaurantje in de buurt van de Place de la République, waar het menu van de dag op een leitje buiten hing en een dienster rondliep in een slonzige zwarte jurk waaronder een paar vuile benen uitkwamen. Hij at een soort gestoofde spinazieschotel, daarna een dessert van zure pruimen. Het kon hem niets schelen. Hij bleef recht voor zich uit staren, en dat was niet omdat hij zat na te denken. In werkelijkheid had hij geen besef waar hij was. Hij was niet in de werkelijkheid, maar ergens tussen het verleden en de toekomst. Een heden was er eigenlijk nog niet.

Hij sloeg zijn bed open, kleedde zich uit, trok de gordijnen dicht, hoorde de hakjes van de meisjes op het trottoir aan de overkant, ze liepen steeds eenzelfde aantal passen in beide richtingen.

De begrafenis was onafgebroken in zijn gedachten, nam angstwekkende afmetingen aan. Niettemin sliep hij tenslotte in en toen zijn wekker afliep, om zeven uur 's morgens, had hij geen enkele herinnering aan de afgelopen nacht meer.

Er was nog wat gemalen koffie in de bus, niet veel maar juist genoeg voor twee kopjes. Hij haalde het brood en de melk van het portaal. Daar er geen boter meer in de kast was, nam hij abrikozenjam die Jeanne altijd voor zichzelf kocht want hij at dat als regel niet.

De hemel was bijna egaal grijs geworden. Misschien was er ergens onweer geweest, maar niet boven Parijs en het was heel warm, zonder een zuchtje wind. De vliegen zwermden rond met een irriterend geluid, streken steeds weer neer op zijn handen, zijn gezicht.

Toen hij de binnenplaats over liep boog hij zich aan het loket voorover om de concierge, die bezig was de post uit te zoeken, te vragen:

— Geen telegram?

— Als er een geweest was, had ik het wel boven gebracht.

Toen hij door wilde lopen kwam ze uit haar donkere hol naar buiten. Zij had ook de krant gelezen.

— Wanneer wordt ze thuisgebracht?

— Dat weet ik niet.

— Ik dacht dat een begrafenis altijd binnen drie dagen moest plaatsvinden.

Ze condoleerde hem niet. Niemand was op dat idee gekomen. Hij was weduwnaar, maar geen echte weduwnaar. Waren de mensen die hem alleen maar van gezicht kenden, in staat om dat te begrijpen?

De commissaris in de Rue de Berry gedroeg zich correct, maar uitgesproken koel. Hij was waarschijnlijk gewaarschuwd dat Jeantet wel eens een scène kon gaan maken over de bewuste, al of niet bestaande brief.

Hij had het rapport van de politiearts voor zich liggen, dat de vergiftiging door een grote dosis gardenal bevestigde en het tijdstip van het overlijden op woensdag tussen zeven en negen uur 's avonds stelde.

Dus om acht uur ongeveer, dat wil zeggen, toen Jeantet op het politiebureau over zijn vrouw stond te praten met inspecteur Gordes.

Op dat moment was voor hem alles pas begonnen, terwijl het voor haar al afgelopen was.

Het Gemeentelijk Laboratorium bevestigde dat het glas dat op het nachtkastje aangetroffen was, een zeer geconcentreerde oplossing van gardenal had bevat en de Identificatiedienst, die daarna het glas onderzocht had, had er alleen maar vingerafdrukken van de overledene op gevonden.

— Zoals u ziet, mijnheer Jeantet, is er niet de minste twijfel dat we met een geval van zelfmoord te maken hebben. Heeft u uw trouwboekje meegebracht, zoals ik in uw oproep gevraagd heb?

Hij keek het door.

— Volgens het personeel van het hotel behoorden de diverse dingen in de kamer aan uw vrouw en die komen u dus rechtens toe. U kunt ze meekrijgen wanneer u wilt, u heeft alleen maar even een reçu te tekenen. En dan moet u nog naar het raadhuis in uw wijk voor de overlijdensaangifte en als u nu dit papier hier aan de ambtenaar geeft, zal dat de zaken vergemakkelijken.

Eindelijk kon Jeantet zijn vraag stellen.

— Is de brief al teruggevonden?

— Ik heb inderdaad iets gehoord over een brief waar u naar gevraagd heeft, en ik heb persoonlijk mijn inspecteurs ondervraagd. Ik was zelf ter plaatse, vanmorgen. Ik was een van de eersten daar, met mijn secretaris. Ik heb alle redenen om aan te nemen dat nog niemand iets aangeraakt had, maar ik heb geen brief gezien.

— Het kamermeisje...

De ander had dit antwoord verwacht en viel hem in de rede.

— Ik weet het. Die juffrouw Massoletti is gistermiddag ondervraagd.

De commissaris keek hem aan en zweeg.

— En wat zei ze?

Jeantet voelde dat dit hele gesprek van te voren overdacht was.

— Dat u haar een flinke fooi gegeven had en dat ze u een plezier had willen doen.

— Ik heb haar die fooi daarna gegeven.

— Dat blijkt anders niet uit haar verklaring. In ieder geval, ze beweert dat ze nergens van weet en dat ze geen van mijn mensen een brief heeft zien wegmoffelen in kamer 44.

— Ik beschuldig niemand. Ik geloof alleen dat...

— Ik wilde dat voorlopig nu maar laten rusten, als u het goedvindt. Ik heb nog meer afspraken en ik heb maar weinig tijd.

Toen had hij zijn handtekening moeten zetten, hij wist niet meer hoeveel maal.

— Neemt u de dingen van uw vrouw nu mee?

— Neen.

— Wanneer komt u ze dan halen?

— Ik hoef ze niet te hebben.

Men had hem in een slecht humeur gebracht.

Hij was meer dan ooit besloten het niet op te geven. Maar eerst moest hij klaar zijn met wat ze het stoffelijk overschot noemden.

Hij had de vorige avond al een telegram van Jeannes ouders verwacht in antwoord op het zijne en het verontrustte hem dat hij nog niets gehoord had. De man van de begrafenisonderneming had hem wel gezegd dat hij zich overal mee belastte, met de rouwkamer, het afleggen, het kerkhof van Ivry, tenzij hij het goedvond dat de ouders, indien deze de wens te kennen gaven...

Voor hij naar het raadhuis van het II^{de} Arrondissement ging liep hij nog even op de Boulevard Saint-Denis aan.

— Nog steeds geen telegram voor mij?

De man van de concierge was zijn stoel zeker gaan afleveren want men zag hem niet op de binnenplaats. De lamp brandde, zoals altijd. De concierge zat aardappelen te schillen.

— Neen. Er zijn twee mensen geweest die naar u gevraagd hebben, een heer en een dame.

— Hebben ze hun naam genoemd?

— Ze hebben alleen gezegd dat ze de ouders van uw vrouw waren.

— Waar zijn ze nu?

— Ze hebben een poos op het portaal en toen op de binnenplaats staan fluisteren. Eindelijk zijn ze weggegaan en ze vroegen me waarom het stoffelijk overschot niet hier was. Ik wist niet wat ik zeggen moest. Het leek me dat ze niet erg te spreken waren.

— Zouden ze nog terugkomen?

— Dat hebben ze niet gezegd.

Hij ging te voet naar het raadhuis in de Rue de la Banque, ging het grote gebouw binnen, volgde de pijlen, vond tenslotte de Burgerlijke Stand en eindelijk een gesloten deur met het opschrift: Aangifte van overlijden.

Een man en een vrouw op leeftijd, allebei even kort en dik, stonden zwijgend voor die deur te wachten, alsof ze daar op wacht stonden. Hij voelde hoe hij van het hoofd tot de voeten opgenomen werd, deed de deur open, kwam in een soort gang en liep naar een loket.

De man en de vrouw liepen achter hem aan en toen hij zijn naam aan de ambtenaar opgaf, zei de vrouw hardop:

— Zei ik je niet dat hij het was?

De ambtenaar bleek al op de hoogte te zijn.

— Die heer en dame wachten al een hele tijd op u, verklaarde hij. Het schijnt dat u nog een en ander met hen te regelen hebt voor u de formaliteiten vervult.

De vrouw deelde op bitse toon mee:

— Wij zijn de ouders van Jeanne.

En tegen haar man, die ze met haar elleboog naar voren duwde:

— Doe jíj het woord, Germain!

Zijn gezicht was gebruind door de zon en het zoute water. Het was te zien dat hij zich niet op zijn gemak voelde in zijn zwarte pak, zijn gesteven overhemd, zijn zwarte lakschoenen die hem waarschijnlijk pijn deden.

— Wij hebben de krant gelezen, vanmorgen toen we op het station aankwamen, begon hij. We hebben de nachttrein genomen, omdat we niet eerder weg konden en omdat je met de andere trein in Poitiers moet overstappen ...

Zij viel hem in de rede, op een toon die bijna dreigend was.

— Om kort te gaan, we hebben gelezen dat onze dochter zelfmoord gepleegd heeft. Zoiets is in onze familie nog nooit voorgekomen. U zult niemand wijs kunnen maken dat ze gelukkig was, want dan was ze niet naar een hotelkamer gegaan om zich te verdoen. Ik vroeg me altijd al af waarom ze nooit schreef en ons nooit kwam opzoeken. In ieder geval, ze zullen niet kunnen zeggen dat wij haar in deze ellendige stad waar ze niets dan ongeluk gekend heeft, gelaten hebben ...

Ze had, in één adem, geloosd wat ze op haar hart had, wierp een zelfvoldane blik op haar man, voegde eraan toe, terwijl ze de ambtenaar tot getuige riep:

— Ik heb al tegen mijnheer gezegd, al moeten we het nog zo hoog zoeken, we zúllen haar terug hebben. Ze zal behoorlijk begraven worden in haar dorp waar er tenminste iemand zal zijn om geregeld voor bloemen op haar graf te zorgen ...

Jeantet zei alleen maar:
— Goed.

Zijn keel was dichtgeschroefd. De ambtenaar vroeg verwonderd:

— U gaat daarmee akkoord?

Hij haalde zijn schouders op.

— Maar ú moet toch in ieder geval het overlijden aangeven.

— Ik heb de papieren meegebracht.

Evenals die vreemdeling, woensdag, op het politiebureau, met dit verschil dat men op de zijne niets aan te merken had. Er was er zelfs naar het scheen één te veel en de ambtenaar, die daar niet goed raad mee wist en vreesde een blunder te maken, belde het politiebureau van het VIII^{ste} Arrondissement op om inlichtingen te vragen.

Terwijl hij formulieren stond in te vullen mompelde Jeantet, in de richting van de Moussu's:

— Wat ik zeggen wilde, ik heb de kist al besteld.

— Dat is al het minste wat u doen kon, nietwaar?

— Waar wilt u dat ik die zal laten brengen?

— Wel, waar is zij op het ogenblik? Ligt ze nog altijd in het Instituut ... Hoe heet dat ook weer, Germain?

— Dat weet ik niet meer.

— Ja, daar is ze nog altijd.

— Dan ... Dan zal het daar dus moeten gebeuren, lijkt me ...

— En dan?

— Wat en dan? U stuurt de kist naar Esnandes en dat is alles. Dat is toch afgesproken?

Zoëven, toen ze over het transport van het stoffelijk overschot sprak, had ze eraan toegevoegd:

— Het kan me niet schelen wat het kost.

110

Nu ze tegen iedere verwachting in geen enkele weerstand bij hem ontmoette, profiteerde ze daarvan om het transport op zijn rekening te schuiven.

— Goed.

Hij was niet in de stemming om te redetwisten en hij voelde zich opgelucht bij de gedachte dat hij de kist niet bij zich thuis zou krijgen en dat hij niets met de begrafenis te maken zou hebben, waarbij anders de hele buurt uitgelopen zou zijn.

— En haar bezittingen? Wat gebeurt daar mee?

— Welke bezittingen?

— Haar kleren, haar japonnen, alles wat ze heeft. Dat zouden haar zusters goed kunnen gebruiken.

Ze voelde zich in de steek gelaten door haar man, die niet de moed had gehad om alles te zeggen wat ze afgesproken hadden.

— Wou jij nog niet iets vragen, Germain?

Hij deed alsof hij nadacht, kleurde.

— O ja, dat is waar ook . . . Hoe zit het met het geld?

— Welk geld?

— Ze had toch zeker wel wat geld . . . En meube-len . . . Iedereen heeft toch wel wat!

— Ze is bij mij gekomen met alleen de jurk die ze aanhad.

— Maar toen had ze toch al twee jaar gewerkt . . .

Wat voor zin had het? De ambtenaar riep hem, hij moest handtekeningen zetten.

— Wilt u tekenen als getuige? vroeg hij aan de vader.

— Moet ik dat doen?

— Als die mijnheer het zegt...

Ze had vertrouwen in de ambtenaar, niet in Jeantet, die schoonzoon die ze nooit gezien hadden en die hun dochter de dood in gedreven had.

Ze liepen met hem mee de hal door en zelfs op de stoep nog schenen ze zich aan hem vast te klampen, Jeantet vroeg zich af waarom.

— En hoe moet het nu met de jurken?

— Komt u maar mee.

Ze liepen met z'n drieën door de straten. Mevrouw Moussu keek met kritische blikken naar de winkels en op de trap van het huis op de Boulevard Saint-Denis schudde ze medelijdend haar hoofd.

Het appartement maakte geen indruk op haar maar wel zag ze onmiddellijk de naaimachine.

— Die is zeker van Jeanne? Een van haar zusters die pas getrouwd is, in Nieul, heeft er juist een nodig...

Ze zou de machine meenemen, met de jurken die ze zonder geestdrift bekeken had.

— Is dat alles wat ze had om aan te trekken?

En tegen haar man:

— Het is wel de moeite, om daarvoor in Parijs te gaan wonen!

Jeantet aarzelde of hij ze naar het bureau in de Rue de Berry zou brengen om hun de dingen die in de hotelkamer gevonden waren, te laten geven. Dan zouden de zusters ongetwijfeld meer voldaan geweest zijn.

— Hoe moeten we dat allemaal meenemen, Germain?

— Zou ik niet het beste een taxi kunnen halen?

— Die staan hier altijd vlak tegenover, op de Boulevard.

Zodra hij weg was, viel de vrouw hem op een ander front aan.

— U bent toch zeker niet van plan om naar Esnandes te komen voor de begrafenis?

— Daar heb ik nog niet over gedacht.

— De mensen bij ons zouden het niet erg waarderen om u te zien huilen bij de kist van een vrouw die u zo ongelukkig gemaakt hebt dat ze het niet meer uit kon houden ...

Voor de eerste keer sedert woensdag zes uur glimlachte hij. Het was een glimlach zonder vreugde, maar verontwaardigd viel ze uit:

— Is dat uw enige antwoord aan een moeder?

De man kwam hijgend weer boven.

— Kom mee, Germain. Ik wil zo gauw mogelijk hier vandaan. Ik stik hier. Neem jij de machine, ik zal de rest wel dragen ...

Hij zag toe hoe ze vertrokken, met buit beladen, en de vrouw keerde zich om om hem nog een laatste dreigende blik toe te werpen.

— En denk erom dat we de kist zou gauw mogelijk moeten hebben ... Hij moet verstuurd worden als ijlgoed!

Op de verdieping onder hem woonde aan de ene kant een deurwaarder, aan de andere kant zaten de hele dag jonge meisjes kunstbloemen te maken, voor grafkransen ongetwijfeld. Daar had

113

hij nooit bij stil gestaan. De oude, bijna blinde juffrouw, boven zijn hoofd, was boos op hem omdat Jeanne, zoals ze dat uitgedrukt had, *zelfs niet probeerde om gelukkig te zijn.*

Op dat ogenblik had hij die woorden in zich opgenomen, zonder meer. Maar nu vroeg hij zich af wat juffrouw Couvert daar eigenlijk mee bedoeld had. Hij had geen tijd om daar op dit moment over te gaan denken. Het was beter om eerst alle formaliteiten af te werken, zijn belofte aan die mensen uit Esnandes, die zijn schoonouders waren, in te lossen.

Voor de man van de begrafenisonderneming was het een teleurstelling dat de begrafenis in Parijs niet doorging. Hij verheelde zijn afkeuring niet.

— Als het werkelijk de wens van de familie is . . .

Hij geloofde het maar half, verdacht Jeantet ervan dat hij die begrafenis een corvee vond en daarom zijn schoonouders maar alles liet opknappen.

Terwijl Jeantet een tijdschrift doorbladerde, belde hij de Spoorwegen op, toen de vertegenwoordiger van zijn onderneming in La Rochelle, tenslotte het Instituut voor Gerechtelijke Geneeskunde.

— De Spoorwegen hadden enkele bezwaren, maar ze hebben eindelijk toch toegestemd. U heeft geluk. De kist zal nu iets duurder worden, want die moet aan bepaalde voorschriften voldoen. Vanmiddag om vijf uur wordt hij afgezonden, als ijlgoed, en is dan morgenochtend in

La Rochelle, vanwaar hij met een lijkauto naar Esnandes gebracht wordt. Heeft u het juiste adres?

— Neen. Maar Germain Moussu, mosselkweker, Esnandes, zal wel voldoende zijn.

— Het is gebruikelijk dat deze dingen vooruit betaald worden. Als u nog een ogenblikje heeft...

Hij begon te rekenen, raadpleegde tarieflijsten, belde andere afdelingen op en nogmaals de Spoorwegen, er kwamen nog verschillende toeslagen bij en fooien. Eindelijk overhandigde hij Jeantet een lange rekening.

— Wilt u gireren?

— Neen.

Hij had het geld in zijn zak, telde de biljetten uit die de man op zijn beurt telde.

— Gaat u zelf ook met de trein van vijf uur?

Hij schudde van neen en vertrok, onverschillig voor de indruk die hij achterliet.

Nu kon hij gerust zijn. Het was afgelopen. Hij hoefde geen zorg meer te hebben voor het *stoffelijk overschot* en hij kon weer alleen zijn met Jeanne zonder dat hij behoefde te vrezen gestoord te worden. Maar hij stelde dat ogenblik waarnaar hij zo verlangde, zelf uit.

Door het betalen van een bepaald bedrag, dat hoger was dan hij voorzien had, had hij zojuist een mechanisme in werking gesteld, dat zonder dat hij er nog naar om hoefde te zien, het jonge meisje dat tien jaar tevoren naar Parijs gekomen was, naar het kerkhof van Esnandes zou brengen.

Alle handtekeningen waren gezet, alle fooien betaald, zelfs die van de koorknaap in het dorp. Voortaan bestond hij, Bernard Jeantet, niet meer in deze zaak, waar hij zich, naar men hem te verstaan gegeven had, beter buiten kon houden.

Plotseling overviel hem, terwijl hij op de Boulevard liep en de donder in de verte rolde en de wind stofvlagen over de straten blies, het verlangen om er, als een van de naamlozen te midden van de menigte, bij te zijn op het ogenblik dat de trein vertrok.

Hij stond op het punt om terug te gaan, om aan de man van de begrafenisonderneming te vragen of hij zeker wist dat de goederenwagen achter de personentrein aangehaakt zou worden.

Maar toen veranderde hij van gedachte. Hij had niet de moed om vijf uren te wachten, en zeker niet om zijn schoonouders te zien instappen met de naaimachine en de japonnen van Jeanne.

Hij liep lange tijd, zonder ook maar een ogenblik stil te staan om zijn voorhoofd af te vegen. De avond tevoren had hij ook zo gelopen, maar nu had hij een doel.

Hij ging naar de Seine, kwam ter hoogte van de Pont d'Austerlitz, en kreeg het moderne gebouw in het oog van wat vroeger het Lijkenhuis genoemd werd en thans het Instituut voor Gerechtelijke Geneeskunde was.

De voorgevel deed aan een groot handelskantoor denken, of aan een middelbare school. Een vrachtauto van een ongewoon model stond voor de deur, met een chauffeur achter het stuurwiel. Hij zag niemand naar binnen gaan of naar buiten komen. Het stoffelijk overschot van Jeanne werd nog niet gehaald natuurlijk, maar misschien was er een ander gebracht?

Als hij toestemming vroeg, zou hij dan naar binnen mogen gaan, in de gangen tenminste? Hij weifelde. Het was beter dat maar niet te doen. Er begonnen grote druppels te vallen, die terugkaatsten op de Seine en kletterden op het asfalt. De voetgangers renden om ergens te gaan schuilen. In enkele ogenblikken glommen de trottoirs en de auto's begonnen het water in wijde bogen weg te spatten.

Hij glimlachte. Het was geen gelukkige glimlach, maar een glimlach die Jeanne vaak op zijn gezicht zag en die haar altijd nieuwsgierig maakte.

— Waarom lach je?
— Nergens om, antwoordde hij.
— Het is net of je me uitlacht.
— Ik heb jou nog nooit uitgelachen.
— Wie dan?
— Niemand.

Hij had zin om zijn hoed af te zetten, om het water over zijn hoofd te laten stromen terwijl hij een voor een de ramen van het grote gebouw gadesloeg, zoals ouders de klas van hun kind trachten te ontdekken wanneer dit voor het eerst naar school is.

Jeanne was daar, achter die muren, achter die vensters, voor een kort ogenblik nog maar, en dan zou ze weer de reis maken, maar nu in omgekeerde richting, die ze slechts éénmaal ondernomen had.

— Ben je gelukkig, Bernard?

Altijd kwam die zelfde vraag weer als hij zo glimlachte.

— Waarom geef je geen antwoord?

— Omdat ik niet weet wat ik daarop zeggen moet.

— Ben je niet gelukkig?

— Ik ben niet ongelukkig.

Ze hield aan:

— Maar je bent niet gelukkig?

Hij zweeg.

— Is het mijn schuld?

— Neen.

— Weet je dat zeker?

— Heel zeker.

— Heb je er geen spijt van?

— Neen ...

Op zulke dagen hoorde hij haar dan, even later, snuiven in het aangrenzend vertrek. Ze trachtte te huilen zonder geluid te maken.

Ze hadden veel geduld gehad, allebei. Ze hadden grote offers gebracht, of liever heel veel kleine, bijna dagelijkse offers.

De verkeersagent in zijn regencape waar het water langs gutste, moest zich wel afvragen wat hij daar deed, die lange man die moederziel alleen op het trottoir stond te hangen, onverschillig voor de stromende regen. Hij kon niet vermoeden dat het, door de muren heen, hun laatste contact was. Een ander was hun niet vergund geweest. Trouwens, wat zou dat voor nut gehad hebben?

— Ben je gelukkig, Jeanne?

Ze haastte zich om hem toe te lachen, een beetje te snel. Ze kon onmiddellijk als ze dat wilde, haar ogen laten stralen.

— Waarom vraag je me dat?

— Omdat ik er niet zeker van ben of ik je wel gelukkig maak.

— Je weet wel dat je de beste man van de hele wereld bent.

— Neen.

— Als ik bij jou ben, ben ik gelukkig.

Bij jou! Hij had er vaak over nagedacht. Acht jaar lang had hij haar gadegeslagen. Er waren dagen dat hij alles meende te begrijpen. Maar er waren ook dagen dat hij zich afvroeg of hij zich, van het begin af aan al, niet vergiste.

— Verveel je je nooit?

— Waarom zou ik me vervelen?

Hij luisterde naar hen, naar haar en Pierre, wanneer ze samen in de eetkamer zaten en hijzelf in het atelier aan het werk was. Hij hoorde ze lachen, praten, het waren onbelangrijke gesprekken maar tintelend van vrolijkheid.

Sommige avonden, als ze alleen in haar bed lag, overviel haar een plotselinge angst. Dat wist hij, want hij had geleerd een bepaalde manier te herkennen waarop ze zich in bed omdraaide en weer terugdraaide, een bepaald ritme in haar ademhaling.

— Kun je niet slapen?

— Neen.

Hij vroeg haar niet waarom. Hij ging een gardenaltablet en een glas water voor haar halen in de badkamer.

— Drink.

— Heb je nog niet genoeg van me?

Hij streelde haar over haar haren.

— Dat komt nog wel... Dat kan niet uitblijven ... En dan...

De regen was door zijn colbert heengedrongen, zijn hemd plakte aan zijn lichaam en zijn schoenen stonden vol ijskoud water.

Hij wierp haar een laatste blik toe. De vrachtauto stond nog steeds onbeweeglijk voor de ingang. Een man kwam naar buiten, zette zijn paraplu op en begon te gesticuleren om de aandacht van een taxichauffeur te trekken.

Hij moest weg. Hij had geen enkele reden om daar te blijven staan. Hij begaf zich weer op weg, vond de moed om niet om te kijken. Hij was blij dat een rukwind hem voortduwde en al spoedig liep hij weer voort met die karakteristieke gang waaraan hij van verre te herkennen was.

— Zelfs al zag ik alleen maar je benen, op tweehonderd meter...

Zij sloeg hem op haar beurt ook gade, lette op al zijn gewoontegebaren, typische bewegingen in zijn gezicht, zoals een licht trillen van zijn bovenlip wanneer hij ten prooi was aan een emotie. Dat hoefde geen hevige emotie te zijn.

Ook niet om een belangrijke of een ernstige reden. Integendeel, het kwam meestal door een kleinigheid, een onwillekeurige gedachte, een beeld dat hem weer voor de geest kwam, een woord, een blik van een voorbijganger.

— Wat heb je, Bernard?

— Wat zou ik moeten hebben?

— Waar denk je aan?

— Ik denk helemaal niet.

Ze bleef hardnekkig dóórzoeken, zonder nog iets te vragen. Dat irriteerde hem. Hij wist dat ze, negen op de tien keer, tenslotte toch de oorzaak vond en zelfs al sprak ze er nooit over als ze die gevonden had, toch had hij er een hekel aan zo doorzien te worden.

Hij had zich niet vergist toen hij het moment voorzag waarop het zou beginnen. Nu hij klaar was met het stoffelijk overschot, de begrafenis, de papieren, de autoriteiten en de familie, was hij weer met haar alleen.

Er kwam een autobus aan en toen hij las in welke richting die reed sprong hij op het achterbalkon. De passagiers gingen hem uit de weg omdat hij droop van de regen. Hij trachtte een sigaret aan te steken maar die werd drijfnat van zijn vingers.

Het deed er niet toe. Hij zou alles te weten komen, temeer omdat hij er niet aan wanhoopte de brief terug te vinden. Het was zaterdag. Morgen, zondag, zou hij aan zijn lay-out voor *Art et Vie* werken. Hij hoopte dat het zou blijven regenen, want hij vond het prettig over zijn tekenbord gebogen te staan, bij het raam dat op de Boulevard uitzag, als de regen in zigzaglijnen langs de ruiten liep.

Hij zou niet meer in een restaurant gaan eten, zelfs vanmiddag niet. Hij zou nu onmiddellijk zijn vroegere leven weer opvatten, dat van vóór Jeanne.

Vanaf de dag dat hij in Parijs gekomen was, toen hij, geheel toevallig, het appartement bij de Porte Saint-Denis gevonden had, dat zo vervallen was dat niemand het wilde hebben, had hij zichzelf opgelegd zijn eigen maaltijden klaar te maken. 's Morgens ging hij vlees kopen, gekookte groente, kaas, vruchten, en soms wat gebak. Als hij thuis kwam stak hij het gas aan, zette de pannen op, dekte de tafel.

Het gebeurde zelden dat hij de vaat vuil liet staan en in die dagen nam hij de werkster maar een halve dag in de week. Die zou hij natuurlijk niet meer kunnen terugvinden. Het was de weduwe van een marechaussée en als ze nog leefde was ze toch te oud om nog te werken.

Wat zou hij antwoorden als juffrouw Couvert hem naar de begrafenis vroeg? Hij wilde haar liever niet kwetsen. De concierge ook niet, en niemand. Hij had altijd zijn best gedaan om de mensen niet te kwetsen.

Hij zou hun zeggen dat de familie van zijn vrouw er op stond dat ze in haar dorp begraven werd. Dat was ook bijna de waarheid. Niet helemaal. Het was trouwens, op een vreemde manier, de waarheid geworden. Maar toch zou hij het recht gehad hebben om Jeanne bij zich thuis te laten brengen.

Hij ging de witgeverfde winkel van mevrouw Dorin binnen. Ze stond daar met haar zware, hoge boezem die bijna tegen haar kin kwam en keek hem met een treurige blik aan.

— Wel, meneer Jeantet, wie had dat gedacht?

Hij trachtte met de zelfde blik als zij te kijken.

— Is het waar dat de oude luidjes vanmorgen overgekomen zijn? Wat een slag voor die arme mensen!

Hij wilde er maar zo snel mogelijk van af zijn.

— Ze stonden erop dat ze in Esnandes begraven zou worden... zei hij vlug.

— Dat kan ik me indenken. Ik zou ook voor geen geld begraven willen worden op een van die moderne begraafplaatsen die ze rondom Parijs aanleggen. Waar is dat, Esnandes?

— In Charente-Maritime.

— Ik dacht dat ze uit de buurt van Bayonne kwam.

— Neen.

— Wanneer is het?

— Morgen.

— Gaat u er vanavond nog heen?

— Ik weet het nog niet. Mag ik een pond boter, zes eieren, een stukje camembert... Doet u er ook maar een half pond sperciebonen bij...

Hij ging naar de kruidenier, naar de slager, en daar hij geen tas bij zich had, liep hij met zijn armen vol natte pakjes.

Het begon weer harder te regenen, in vlagen

die het zicht belemmerden, de druppels kaatsten terug op het asfalt, de stroom in de goten langs de trottoirs zwol zienderogen aan, breidde zich over een deel van de rijweg uit. Donderslagen ratelden vlak boven de daken en in het half-donker van de winkels zag men huismoeders bij iedere bliksemflits een kruis slaan.

Hij ging de trap op. Op het portaal had hij moeite om zijn sleutel uit zijn zak te halen zonder zijn pakjes te laten vallen. Tenslotte lukte het. Hij was weer thuis.

Hij legde zijn inkopen op de keukentafel en haastte zich om de ramen te sluiten want er lagen al plassen water op de vloer.

Toen trok hij zijn jasje uit en begon zijn huis-houdentje te doen.

Einde van het eerste deel.

TWEEDE DEEL

Het leven van de anderen

I

Zijn nieuwe leven verschilde niet zo veel van het oude, en het ritme was nagenoeg hetzelfde gebleven. Evenals vroeger bracht hij elke dag een aantal uren voor zijn tekentafel door, langzaam werkend want hij was uiterst precies, met af en toe een onderbreking om zijn potloden te slijpen, zijn penselen en zijn pennen schoon te maken, om even naar buiten te kijken of wel omdat zijn blik bleef hangen op een voorwerp, een vlek of iets anders in het vertrek.

Misschien bracht hij meer tijd door dan toen Jeanne nog leefde met roerloos in zijn fauteuil te zitten, waarbij hij alle besef van het voortglijden van de tijd verloor?

De dagen gingen kalm en schijnbaar leeg voorbij. Het leek of hij een lui leven leidde, want hijzelf was de enige die wist van het werk dat onder de oppervlakte, diep in zijn binnenste, gaande was.

Er gebeurde niets. De uitwendige gebeurtenissen waren onbelangrijk maar toch schonk hij er aandacht aan, alsof hij niets wilde verliezen, alsof alles zijn betekenis had. Hij schiftte, rangschikte in zijn gedachten; vaak zocht hij in zijn herinneringen naar een klein voorval uit het verleden, voor een vergelijking, een parallel.

Het was niet een ononderbroken monoloog,

een redenering die tot logische conclusies leidde. Aan zijn tafel, in zijn stoel of op straat kwamen losse gedachten in hem op; hij bezag die van alle kanten voordat hij ze terzijde schoof voor later, als stukjes van een legpuzzel die te zijner tijd hun plaats zullen vinden.

Hij had geen haast. Integendeel, hij zou eerder bang geweest zijn dat hij de oplossing te gauw zou vinden.

Hij deed zijn inkopen, maakte zijn maaltijden klaar, waste de vaat. De winkeliers raakten eraan gewend hem iedere morgen op dezelfde tijd te zien, beleefd, bescheiden, op zijn beurt wachtend terwijl hij met een vage blik naar de toonbank keek, naar de conservenblikjes of het vlees dat aan de haak hing. Hij wist wel dat de klanten elkaar met de elleboog aanstieten, blikken wisselden achter zijn rug en dat zodra hij weg ging de tongen los kwamen.

Hij was een bepaalde figuur geworden: de weduwnaar, de man van de vrouw die zich van kant gemaakt had in een hotelkamer ergens bij de Champs-Elysées.

Hij had al die nieuwsgierigheid kunnen vermijden. Het zou voldoende geweest zijn zijn inkopen tweehonderd meter verder te gaan doen, de Boulevard Sébastopol even over te steken, bijvoorbeeld. Dan zou hij in een andere wijk geweest zijn, waar niemand hem kende.

Op dat idee kwam hij niet. Hij hing aan zijn gewoonten, aan een bepaald aantal bekende gezichten. Zijn hele leven had hij behoefte gehad aan een zekere sleur en hij kon er nooit dan met tegenzin toe besluiten daar verandering in te brengen.

Om een werkster te vinden had hij een heel eind voorbij de Porte Saint-Denis moeten lopen, bij concierges en in winkels moeten informeren, twintig maal naar een vijfde of zesde etage moeten klimmen. De vrouwen die hij bezocht waren allen boven de vijftig jaar, vaak zelfs zeventig; ze schudden van neen: ze waren al helemaal bezet, of hij woonde te ver en ze liepen moeilijk.

Mevrouw Blanpain, de laatste, wilde wel eenmaal per week komen, op vrijdagmorgen. Ze was niet jong meer, even lang en breed van schouders als hij zelf maar sterker, steviger. Ze woonde met haar dochter die werkte voor het toelatingsexamen van het Conservatorium.

Ze wist niets van het drama. Ze had de naam Jeantet niet in verband gebracht met het bericht dat in de kranten verschenen was; dat had ze waarschijnlijk niet eens gelezen.

Op haar eerste morgen was ze begonnen met de keuken grondig schoon te maken, toen had ze de muurkasten onder handen genomen.
— Ik weet niet wie de dame is die hier gewoond heeft en dat gaat me ook niet aan, maar als ik het zeggen mag, erg precies was ze niet.

Ze had er aan toegevoegd, bang hem beledigd te hebben:
— Misschien werkte ze buitenshuis en had ze niet veel tijd om aan haar huishouden te besteden? . . .

Ze vond haarspelden, een gebroken kam achter een kast, en zelfs een oude pantoffel die Jeantet zich niet herinnerde.

Het was hem nooit opgevallen dat Jeanne slordig was.

— Als ik me de volgende week een hele dag kan vrijmaken, en als u ermee akkoord gaat natuurlijk, zal ik de muren eens afnemen, dat hebben ze hard nodig. Dan wordt het ook lichter in huis.

Dat had ze gedaan. Om de eetkamer schoon te maken had ze het vouwbed van de ene hoek naar de andere moeten slepen, het stond haar voortdurend in de weg.

— Gebruikt u dat oude geval nog dat zoveel plaats inneemt? Ik weet iemand, bij mij in huis, die een bed zoekt voor een familielid dat in Parijs komt wonen. Als u er niet te veel voor vraagt...

Ze had een paar centimeter van de matras losgetornd om te zien waar hij mee gevuld was.

— Het is kapok. Maar hij moet nodig bijgevuld worden...

Een klein oud mannetje was het bed met een handkar komen halen. Dat deed hem denken aan die handkar die hij gezien had bij een rood stoplicht, op de woensdag toen hij in een leeg huis gekomen was, en die hij zonder reden nagestaard had.

Zo schoven allerlei beelden over elkaar heen. Hij zag weer een andere handkar voor zich, die hij zelf voortgeduwd had, in Roubaix, toen hij een jaar of twaalf was en hij een keukenkast was

128

gaan halen die zijn moeder op een verkoping gekocht had.

De eerste zondag was hij opgebeld door zijn broer. Hij was aan het werk, zoals hij zich voorgenomen had, 's morgens, voor het raam, en het regende, niet zo hevig als de vorige dag maar voldoende om een spel van glijdende druppels op de ruiten te doen ontstaan. Het gerinkel had hem verschrikt doen opspringen. Hij had overal aan gedacht, aan de politie, de begrafenisonderneming, de Spoorwegen, maar niet aan zijn broer.

— Met Lucien. Ik heb het bericht in de krant gelezen. We condoleren je wel, mijn vrouw en ik.

— Dank je, Lucien.

— Hoe gaat het?

— Het gaat wel.

— We hebben geen kaart ontvangen en we vragen ons af of de begrafenis al plaats gehad heeft . . .

Die zin had zijn vrouw hem voorgezegd.

— Haar ouders wilden haar graag in hun dorp hebben . . .

— Zit je niet al te veel in de put? Kom je ons niet eens opzoeken, eerstdaags?

— Misschien . . . Ja, zeker . . .

— Blanche weet waarschijnlijk nergens van, want ze zit met vakantie in Divonne-les-Bains. Heb je haar nog gezien de laatste tijd?

— Neen.

— Wij ook niet. Die leeft nog altijd maar even geheimzinnig. We weten toevallig dat ze in Di-

129

vonne zit omdat ze de kinderen een prentbrief-
kaart gestuurd heeft... Nu, tot ziens dan!...
— Tot ziens!...

Kort nadat hij met Jeanne getrouwd was, was
hij op een zondag met haar naar zijn broer en
schoonzuster in hun buitenhuisje in Alfortville
geweest. Het was in december en, zoals Françoise zei, je kunt een huis niet beoordelen in de
winter, vooral buiten niet. Hij herinnerde zich
drie kamers die zo klein waren dat het er om te
stikken was. De drie kinderen waren toen nog
heel klein. De oudste moest acht of negen jaar geweest zijn en de jongste kroop nog over de vloer.

De vrouw van Lucien had gewild dat ze ontvangen werden in de salon, die waarschijnlijk
nooit gebruikt werd en die er saai en stijf uitzag.
Ze had zich een ogenblik verontschuldigd om
vlug naar de banketbakker in de buurt te gaan
en hun wat te kunnen aanbieden. De kinderen
schreeuwden. Om rust te hebben stuurde ze hen
naar buiten, behalve de jongste, hield ze door
het raam in het oog maar bleef doorpraten, of
juister gezegd vragen stellen.

Lucien, die nogal zwijgzaam was en zich niet
op zijn gemak voelde, sloeg zijn broer en schoonzuster gade zonder te laten blijken wat hij dacht.
— Zo, en je hebt mijn zwager er dus toe kunnen
brengen om te trouwen, zei Françoise, en ze
deed alsof ze daar opgetogen over was. Bernard,
die altijd zo bang voor de vrouwen was! Ken je
hem al lang?

De ene vraag volgde op de andere: waar heb

130

je hem ontmoet; dorst hij je wel te vragen en wat zei hij; houd je van kinderen; hoeveel zou je er willen hebben?...

— Je was zeker winkelmeisje? Neen? Typiste? Wat deed je dan? Mocht je wel alleen naar Parijs van je ouders? Heb je geen familie daar? Heb je het niet erg moeilijk gehad in het begin?

Die dag ontdekte Jeantet hoe hard zijn schoonzuster was. Al haar drukke gepraat en haar komediespel konden haar bedoelingen niet verbergen. Ze had zich vast voorgenomen overal achter te komen en hij was ervan overtuigd dat ze na een half uur van dat wrede spel alles geraden had.

Jeanne was geheel van haar stuk geraakt, vocht tegen haar tranen, smeekte hem met haar blik om haar te hulp te komen.

Lucien had er zonder iets te zeggen bij gezeten. Hij scheen eens voor al zijn rust gekocht te hebben met zich overal buiten te houden.

Jeanne was nog dagen lang neerslachtig gebleven en af en toe moest die herinnering nog wel eens bij haar bovengekomen zijn. Lange tijd daarna, toen ze eens zaten te praten over familie in het algemeen, had ze hem gevraagd:

— Waarom heb je de jouwe nooit de waarheid durven vertellen? Schaam je je voor mij?

Hij was er niet zeker van dat ze hem geloofd had toen hij haar verzekerd had dat hij niet om zichzelf, maar om haar gezwegen had. Dat was de waarheid. Hij schaamde zich niet voor Jeannes verleden.

— Zeg het maar eerlijk, af en toe heb je er wel
eens spijt van . . .
— Neen.

Dat meende hij oprecht en nu ze er niet meer
was, besefte hij dat sterker dan ooit.

Verschillende malen had hij op het punt gestaan, als dat deel van het verleden ter sprake
kwam, om tegen haar te zeggen:
— Zie je, het is net andersom. Juist dáárom . . .

Hij hield bijtijds in. Het was moeilijk uit te
leggen, nog moeilijker om te begrijpen. Hij wist
zelf niet zeker of hij het wel begreep.

De volgende zondag ging hij naar Lucien. Zijn
broer was dikker geworden, hij had een buikje
gekregen, men zag een vetrand onder zijn witte
overhemd opbollen, en zijn armen waren dicht
behaard. Zijn vrouw die haar haar rood geverfd
had, was buitengewoon koket geworden. Ze
gingen in het tuintje zitten waar Lucien vroeger
groenten kweekte en waar nu alleen maar bloemen stonden.
— Marguerite en Jacques zijn gaan zwemmen . . .

Marguerite, de enige dochter, moest nu dertien jaar zijn; Jacques was degene die bij zijn
laatste bezoek nog luiers droeg.
— En Julien is in dienst. Hij is gegaan vóór hij
opgeroepen werd, omdat hij bij de luchtmacht
wilde. Hij is op de luchtvaartschool in Saint-
Raphaël, als adspirant-officier.

Door het openstaande raam zag hij een ge-
moderniseerde salon, een modelkeuken.
— Vind je niet dat het huis veranderd is? Jammer

132

dat ze hier tegenover van die grote huurhuizen zijn gaan bouwen. Daarvoor was het net of je buiten woonde, en je kon de Seine zien. Nu verwachten we steeds dat ons huis onteigend zal worden om plaats te maken voor een nieuw blok woningwetwoningen.

Lucien die zijn broer zat gade te slaan terwijl hij zijn pijp rookte, zei:

— Jij bent niet veel veranderd ... Hoe oud ben je eigenlijk? ... Negenendertig?

— Veertig.

— Ja, dat is waar, jij bent van juni ...

Hij liep naar het huis om wijn te halen. Zijn vrouw maakte daar onmiddellijk gebruik van:

— Hoe is het gebeurd? Werd je door de politie gewaarschuwd?

Hij antwoordde met een vaag gebaar.

— Het moet een hele slag voor je geweest zijn, dat begrijp ik best. Lucien mag zeggen wat hij wil, maar ik zeg altijd dat er niets gebeurt wat niet gebeuren moet, en op de duur zien we in dat het voor ons bestwil geweest is. Naar mijn mening was die vrouw, als ik het zeggen mag, niet normaal. Ze paste niet bij jou, en jouw manier van leven was niets voor haar. Dat begreep ik wel, die enige keer dat ik haar gezien heb en ik heb dat ook direct daarna tegen je broer gezegd. Het leven is niet gemakkelijk voor haar geweest, is het wel? Zie je, Bernard, het verleden laat toch altijd zijn sporen na, hoe je ook je best doet ...

Lucien kwam terug met een fles en glazen.

— Waar hadden jullie het over?

— Ik zei tegen Bernard dat het zo toch eigenlijk het beste voor hem is. Herinner je je ons gesprek nog, acht jaar geleden? Wat me verbaast, is dat het nog zo lang geduurd heeft. Ze had iets in haar ogen ...

Lucien wierp een blik op zijn broer want hij was bang dat het gesprek hem neerslachtig gemaakt had, of boos, maar tot zijn verwondering zag hij een glimlach om zijn lippen spelen.

— Enfin! Laten we er niet meer over praten! Wat gebeurd is, is gebeurd. Gaan de zaken naar wens?

— Ik werk hard.

Omdat hij als leerjongen begonnen was in een drukkerijtje in Roubaix, zag zijn familie hem nog altijd in een grijze stofjas voor de pers staan.

— Ik ben in zekere zin eigen baas. Ik werk voor tijdschriften en uitgevers.

— Betaalt dat goed?

— Tamelijk.

— Kom je nog wel eens bij moeder?

— Neen.

— Wij zijn er met Kerstmis geweest, met de kinderen. Ze verandert niets. Het lijkt wel of ze jonger in plaats van ouder wordt. Poulard niet, die gaat langzaam achteruit. Toen wij er waren, kwam hij niet meer uit zijn stoel en 's avonds kwam een buurman moeder helpen om hem in zijn bed te tillen. De jonge Méreau, dat is waar ook, jij ging met hem op school. Hij heeft nu een radiozaak. Herinner je je hem nog?

134

— Heeft hij rood haar?

— Ja. Hij woont naast het café. Het zal wel niet lang meer duren of moeder is daar alleen eigenares van. Eigenlijk is ze dat nu al.

— Had Poulard niet een dochter?

Het ging over de tweede man van hun moeder.

— Die leeft nog altijd. Ze heeft haar man en haar kinderen in de steek gelaten en is naar Parijs gegaan.

— Ze zal dus in ieder geval een gedeelte erven?

— Niet van de zaak, want moeder heeft van Poulard gedaan gekregen dat hij haar een schenking onder levenden gedaan heeft.

Daarop hadden ze niet meer over Poulard gesproken, noch over Jeanne, maar over hemzelf.

— Voel je je niet erg alleen?

— Ik wen er wel aan.

— Heb je iemand kunnen vinden voor het huishouden?

Waarom zou hij hun bekennen dat hij dat zes van de zeven dagen zelf deed?

— Blijf je eten? De kinderen zullen wel dadelijk thuis komen. Ze kunnen zich jou nauwelijks herinneren en ze zullen het prettig vinden hun oom eindelijk eens te leren kennen...

— Ik moet weer terug naar Parijs...

Hij had niet kunnen zeggen in welk opzicht dat bezoek nuttig voor hem geweest was, maar toch was hij er zeker van dat het geen verloren tijd geweest was.

Bepaalde woorden van zijn schoonzuster deden hem weer denken aan wat juffrouw Couvert gezegd had:

— *Ze probeerde niet eens om gelukkig te zijn...*

Jeanne had acht jaar lang met hem samen geleefd, in een ruimte van enkele vierkante meters, omgeven door muren en bovendien nog afgesloten door een vloer en een plafond. Maar nu reeds had hij een zekere moeite om zich haar gezicht voor te stellen, haar gestalte weer voor zich te zien op de plaatsen waar zij gewoonlijk zat of stond.

Het beeld bleef vaag, scheen niet echt. Hij dacht, bijvoorbeeld, aan haar zwarte jurk, aan de blankheid van haar huid, aan haar haren die altijd langs haar ene wang hingen, aan haar blote voeten in pantoffels. Ze zat voor haar naaimachine. Pierre kwam naar beneden met zijn schoolboeken en zijn schriften...

— Mag ik, meneer Jeantet?...

Op de plaats waar hij aan het werk was hoorde hij de stemmen van Jeanne en van de knaap, het snorren van de naaimachine. Pierre las een som voor waarin sprake was van vaten wijn met een inhoud van zoveel liter en andere van zoveel liter...

Jeanne verscheen in de deur, met het boek in haar hand.

— *Heb je een ogenblikje? Begrijp jíj die som?*

Het lukte hem niet om haar weer te zien zoals ze was op zulke momenten.

's Morgens kwam ze uit de badkamer, naakt; vaak moest ze nog even kijken naar iets wat op het gas stond voor ze iets aantrok. Hij kende de vorm, de kleur van haar lichaam en wist hoe haar lichaam aanvoelde, maar dat alles leek hem nu onwerkelijk.

Ze had het niet begrepen, de eerste keer, toen ze op een avond bij hem in bed had willen komen in de mening hem een plezier te doen, en toen hij haar afgeweerd had. Ze had zich vergist.
— Neemt u me niet kwalijk . . . had ze gestameld, terwijl ze het pyjamajasje opraapte dat hij haar geleend had.

Ze zeiden nog 'u'. Het was vóór het bezoek van inspecteur Gordes, van wiens bestaan Jeantet zelfs nog niet wist. De wang van het meisje was nog op geen stukken na dicht.

Het moest middernacht geweest zijn. De lichten waren uit en het atelier werd slechts, bij momenten, verlicht door de lichtreclame van de horlogewinkel.

Hij had zijn hand uitgestrekt naar Jeanne, die op de rand van de divan was gaan zitten.
— Dat is het niet . . . had hij gefluisterd.

Ze geloofde hem niet, moest zich inhouden om niet in snikken uit te barsten; niettemin liepen er tenslotte toch tranen over haar wangen en één viel er op de rug van zijn hand.
— Dat zegt u maar om mij niet te vernederen. Het is mijn schuld, ik had het niet moeten doen. Morgen ga ik weg. U bent erg goed voor me geweest en ik had het direct moeten begrijpen . . .

Zonder dat vreemde halfduister had hij niet gedurfd.

— Kom eens dicht bij me ...

— Dat zegt u ook alleen maar om mij plezier te doen ...

— Neen, heus niet.

Hij sprak heel zacht tegen haar, aan haar oor, en na enkele ogenblikken wist hij niet meer of de tranen die zijn wang bevochtigden, van Jeanne waren of van hem.

Hij trachtte haar duidelijk te maken, met vermijding van al te duidelijke termen, dat hij er niet zeker van was of het wel gaan zou, dat hij haar dáárom afgeweerd had, dat het hem nooit gelukt was een vrouw helemaal te bezitten ...

Zonder dat hij haar zag voelde hij bij haar verbazing, toen medelijden, tenslotte, later, een soort van vertedering.

Ze lagen dicht tegen elkaar.

— Heeft u het wel eens echt geprobeerd?

— Ja.

— Vaak?

— Jawel, tamelijk ...

Hij meende te begrijpen dat ze met haar hoofd in de richting van het rendez-voushuis aan de overkant wees.

— Met ...?

Zij durfde de dingen ook niet bij de naam te noemen. Na een stilte hernam ze fluisterend:

— Sst! ... Niets meer zeggen ... Laat mij maar eens begaan ...

Hij voelde een diepe schaamte. Wel tien maal had hij getracht haar weg te duwen. Nooit had hij zich zo ver van alles weg gevoeld. Parijs,

de straten, de huizen, de voorbijgangers, de geluiden, niets bestond meer. Bernard Jeantet
bestond niet meer. Hij was een lichaam vastge-
koppeld aan een ander lichaam. Hij hoorde een
andere ademhaling dan zijn eigen, voelde een
hart kloppen dat niet van hem was.

Hij had haar willen zeggen:

— Wat voor zin heeft het, het is immers toch
onmogelijk ...

Alle vernederingen kwamen weer in hem naar
boven, van heel lang geleden, deden hem wal-
gen van zichzelf.

Het licht aandraaien, weer terugkeren in de
werkelijkheid, in het dagelijks leven ... Iedere
keer als hij bewoog, klemde ze hem vaster in
haar armen en herhaalde:

— Sst! ...

En het was alsof ze hem langzaam aan door-
drong met haar wil, met haar vertrouwen. Haar
lichaam deelde zijn ritme, zijn leven mee aan het
zijne.

Bij iedere nieuwe mislukking trachtte hij haar
van zich af te duwen maar het was een erezaak
voor haar geworden.

Dat duurde drie uren, waarin hij wel honderd
maal het gevoel had weg te zinken in een af-
grond van wanhoop en duisternis, met af en toe
een lichtschijn die, nauwelijks gezien, weer uit-
doofde, de drie jammerlijkste en gelukzaligste
uren van zijn leven.

Altijd zou hij zich die hese, triomfantelijke
vrouwenschreeuw herinneren:

— Zie je wel!

Hij schreide, maar ditmaal van vreugde. Zij schreide ook, van moeheid, van uitputting bovendien. Ze had voor het eerst 'je' tegen hem gezegd en ze bleef uitgestrekt liggen, met haar wang tegen zijn wang.

— Voldaan?

Toen had hij haar heel zacht, met een tederheid die hij niet in zich vermoed had, in zijn armen genomen en hij had in het donker met zijn hand heel voorzichtig, vanwege de pijnlijke wond, naar haar hoofd getast en haar haar gestreeld.

Ze hadden lange tijd gezwegen. Later had hij nauwelijks hoorbaar gefluisterd:

— Zul je niet weggaan?

Ze had zijn vingertoppen gedrukt, als om een pact te bezegelen.

— Weet je wel zeker dat je met mij zult kunnen leven?

— Ja.

— Ondanks...?

Ze had gelachen.

— Je hebt toch zelf het bewijs geleverd, zojuist!

— Maar...

— Stil!... Je moet nodig gaan slapen... Je hebt morgen je werk weer...

Ze had zich losgemaakt, had hem op zijn voorhoofd gekust met een ernstig gezicht, alsof dat in haar ogen een betekenis had, en hij had haar, als een lichte vlek, naar de deur zien gaan.

Voor hem was dit *hun* nacht, de belangrijkste

van zijn leven. 's Morgens durfde hij zijn ogen niet open te doen. Hij hoorde haar in de kleine keuken heen en weer lopen. Ze had haar zwarte jurk aan. Ze had zich al gewassen, haar haar gedaan; alleen één lok, altijd dezelfde, hing langs haar wang. Ze bracht koffie en glimlachte verlegen tegen hem, alsof zij ook vreesde dat het niet blijvend kon zijn.

Ze had bijna 'u' tegen hem gezegd, waardoor het later moeilijker geweest zou zijn. Ze voelde dat, deed zichzelf geweld aan:
— Heb je goed geslapen?

Het lelijke, het beschamende, het pijnlijke was voorbij. Slechts het goede bleef over, de triomfantelijke kreet in de menselijke warmte van het bed.
— *Zie je wel!*

Ze hadden er niet meer over gesproken, nooit meer. Aan bepaalde kleine dingen, die hij zelf niet wist, zag ze wanneer ze 's avonds bij hem mocht komen. Misschien bleef ze met opzet langer dan anders half uitgekleed bij hem hangen? Ze zei hem welterusten als gewoonlijk. Hij van zijn kant bleef soms nog een poosje in zijn stoel zitten lezen.

Als hij eindelijk in bed lag, hoorde hij al spoedig de springverenmatras van het vouwbed kraken. Hij hoorde nooit Jeannes voetstappen op de vloer, maar wist niettemin dat ze onbeweeglijk in de deuropening stond, gereed' om zich terug te trekken wanneer hij het sein niet gaf.
— Kom maar!

Dat was hun geheim. Dat had hij tenminste altijd gedacht. Had zijn schoonzuster tijdens zijn bezoek van jongstleden zondag niet tegen hem gezegd:

— *Het is nog een geluk dat jij geen kinderen kunt hebben ... Denk je eens in dat je met kleine kinderen had kunnen achterblijven! ...*

Was het daarom, dat hij altijd de mensen met wie hij in aanraking kwam, angstvallig bespied had, en soms zelfs de mensen die hij op straat tegenkwam?

Toen hij Jeanne ontmoet had, had hij al lang berust. Soms zat hij 's avonds lange tijd voor het venster te kijken naar wat zich in de Rue Sainte-Apolline afspeelde. Hij had zijn woning niet met opzet gekozen. Hij had die toevallig gevonden, toen hij het nog niet wist. Tenminste, hij wist niets zeker.

Het was het eerste huis van die aard in Parijs, waar hij met een vrouw — ze was blond geweest en in het rose gekleed — binnengegaan was, en een kwartier later was hij met hangend hoofd weer naar buiten gekomen, en hij had gezworen dat hij het nooit weer opnieuw proberen zou.

Avond na avond zag hij het licht in de kamers aan gaan. De gordijnen voor het meest linkse raam op de eerste etage sloten niet hermetisch en hij kon op het bed zien.

Jeanne had dat pas een maand of twee, drie na hun huwelijk ontdekt, want ze kwam zelden bij dat venster en dan moest de kamer nog net bezet zijn. Ze had zich naar hem omgedraaid

142

met gefronste wenkbrauwen, alsof ze op een idee kwam, alsof ze eindelijk de sleutel van een mysterie vond dat haar al lang bezig gehouden had.

Had ze hem de eerste avond al niet van iets soortgelijks verdacht?

Dat werd nu duidelijker. Hij was voor haar niet meer een onbekende die haar zojuist van de straat opgepikt had. Zij kende hem beter dan iemand ter wereld.

Er was toen een moment van pijnlijke verlegenheid tussen hen geweest. Hij had met haar willen praten, haar willen verzekeren dat ze zich vergiste, dat hij daar nooit 's avonds had zitten wachten tot het licht in die kamer aan de overkant aan ging.

Dat was inderdaad, vóór Jeannes tijd, wel gebeurd, omdat hij altijd nog hoop had. Tenslotte snelde hij dan naar buiten. Hij kende andere straten, in andere wijken, met net zulke huizen en zulke vrouwen die in het halfduister op en neer liepen.

Hij keek ze ook vlak in het gezicht, zoals hij dat de mannen bij hem aan de overkant zag doen. Hij bekommerde er zich niet om of ze knap waren, of wat voor figuur ze hadden. Hij lette alleen op de ogen, de mond, de gelaatsuitdrukking. Hij had geleerd in één oogopslag de vrouwen te herkennen die hem uitlachten en die welke boos werden, degenen die ongeduldig werden en die wier medelijdende moederlijkheid hem deed bevriezen.

Was het dat, wat Jeanne begrepen had? Was het mogelijk dat iemand anders dan hijzelf dat begreep?

Zelfs voordat hij weduwnaar geworden was beschouwden de mensen hem al als iemand die anders was dan anderen en hij had zich vaak afgevraagd of ze zijn geheim wisten. Altijd voelde hij een argwanende nieuwsgierigheid, alsof men zocht te doorgronden wat er aan haperde.

Jeanne was zuiver toevallig in zijn leven gekomen. Hij had geen enkele bijbedoeling gehad toen hij haar van het trottoir was gaan halen en hij had haar bijna moeten dwingen om bij hem binnen te komen.

Hij had geen enkel plan opgemaakt van tevoren. Toen was die nacht gekomen, *hun* nacht, en daarna was zij het middelpunt van zijn leven geworden, dat moest zij gevoeld hebben. Zij was zijn kostbaarste goed. Hij wilde dat ze gelukkig zou zijn. Dat was zijn voornaamste zorg.

Niet uit egoïsme, om het zelfvoldane gevoel van eigen goedheid, ook niet uit dankbaarheid. Hij had er behoefte aan te weten, dat er één wezen op de aarde was dat zijn geluk aan hem dankte.

Hij vroeg zich nu af of zij dat beseft had. Hij was er niet zeker van. Hij begon er zelf aan te twijfelen of het dat wel geweest was.

Iedere dag werkte hij, sleep zijn potloden, maakte zijn pennen en zijn penselen schoon, werkte nog wat, zat dan in zijn stoel of aan tafel waar hij alleen met zichzelf zijn maaltijden gebruikte, aan Jeanne te denken met het gevoel dat ze langzamerhand vager, minder belangrijk werd, en dat het per slot van rekening Bernard Jeantet was die hij zo hartstochtelijk zocht te begrijpen.

Misschien had hij acht jaar lang minder met haar dan wel met zichzelf geleefd? Had ze soms alleen maar in hetzelfde appartement gewoond, was ze alleen maar een figurante geweest, of, misschien, een getuige tegen wil en dank?

— Maar een getuige waarvan?

Ze was op een middag naar een hotelkamer gegaan om daar te sterven, in een hotel waarvan hij het bestaan niet eens kende, in een heel andere buurt dan de hunne. Ze had haar jurk en schoenen van de Boulevard Saint-Denis aan een kamermeisje gegeven. Haar tas was niet teruggevonden, haar identiteitsbewijs niet, niets dat van haar kwam, niets dat verband met haar hield.

Dát had hij onmiddellijk begrepen in de Rue de Berry, en de bloemen hielden een aanwijzing in, ze drukten als het ware de wil uit om zich in een totaal andere omgeving te verplaatsen. Hij had haar nooit bloemen gegeven. Op een dag dat ze bloemen van de markt had meegebracht, was hij ontstemd geweest en toen ze naar de oorzaak daarvan gevraagd had, had hij tenslotte bekend dat bloemen hem hinderden.

Dat was zo. Bloemen waren in zijn gedachten verbonden met het buitenleven waar hij niet van hield, met tuinen in de buitenwijken die roerloos

145

in de zon lagen, zoals de tuin van zijn broer Lucien die zodra hij er maar één blik op sloeg, hem een onberedeneerde angst inboezemde.

De dood van Jeanne was een vlucht, en hij was het wie ze ontvlucht was.

Hij moest weten waarom. Daar had hij recht op. Dat was absoluut noodzakelijk, want de rest van zijn leven hing er van af, en daarom hechtte hij zo'n waarde aan die brief.

Zelfs al had ze maar enkele regels geschreven, dan zou hij weten hoe ze hem gezien had, hoe hij was in de ogen van anderen, van iemand die hem acht jaar lang van nabij gadegeslagen had.

Op *Art et Vie* had mijnheer Radel-Prévost twee woensdagen gewacht met hem min of meer verlegen te zeggen:

— Dat is waar ook, meneer Jeantet, ik heb gehoord wat u overkomen is en ik condoleer u wel.

Men voelde dat hij zich afvroeg of het wel zin had dat te doen, dat hij op zijn reactie wachtte.

— Ik dank u wel. Het is heel vriendelijk van u ...

— Ik hoop dat u het niet al te moeilijk heeft ... Begint u er al wat overheen te komen?

Dan, verstrooid, terwijl zijn blik op het portret van zijn dochter viel:

— Ik wou u vragen hoe u het met de kinderen geregeld heeft, maar ik bedenk me opeens dat u die niet heeft ... Wanneer dacht u dit jaar vakantie te nemen?

— Ik ben niet van plan om de stad uit te gaan.

— Misschien heeft u wel gelijk, want het is overal even druk tegenwoordig ... Mijn vrouw en mijn

146

kinderen zitten in Evian, vrijdag ga ik daar ook heen voor drie weken ...

Zo zag hij Parijs leger en leger worden, op de zaken waarvoor hij werkte zag hij steeds nieuwe open plaatsen. Sommige zaken sloten helemaal. Daarna maakte hij de tegenovergestelde beweging mee, de terugkeer van al die vakantiegangers, te beginnen bij het laagste personeel om te eindigen bij de directeuren, die nog lange weekenden aan zee of in hun landhuis bleven doorbrengen.

Op een woensdag ging hij toen hij uit de Rue François-Ier kwam, naar de Rue de Berry, zonder bepaalde reden. Hij had altijd al geweten dat hij terug zou gaan daarheen. Hij bleef lange tijd op het trottoir tegenover *Hôtel Gardénia* staan, waar hij een man en een vrouw naar binnen zag gaan. De vrouw lachte. De man had een zelfverzekerd gezicht en leek een beetje op mijnheer Radel-Prévost.

Het Italiaanse kamermeisje zag hij niet. Hij trachtte uit te rekenen hoe laat ze haar dienst verliet.

Hij besloot terug te komen.

Hij dacht veel na, die dag, terwijl hij door de straten liep. En toen hij naar bed ging bleef hij, hoewel hij toch moe was, bijna twee uur wakker liggen.

Er was niemand meer die in de deuropening kwam wachten tot hij zijn sein gaf ...

Op een middag, om een uur of twee, had hij met verwondering heen en weer geloop boven zijn hoofd gehoord. Het was niet de jongen die aan het spelen was. Het waren de voetstappen van een volwassene en af en toe werden de voeten verzet zonder dat er gelopen werd zoals het geval was wanneer een klant een japon stond te passen. Dit kwam praktisch niet meer voor, want sedert de ogen van juffrouw Couvert zo achteruitgegaan waren, vertrouwde men haar nog slechts zelden nieuwe stukken toe en het was bijna uitsluitend keren en verstellen wat ze nog deed.

Later had hij de aarzelende stap van de oude naaister op de trap herkend en een kwartier later misschien had hij haar, toen hij toevallig even naar buiten keek, bij de bushalte aan de overkant van de Boulevard zien staan wachten.

Ze was in groot tenue, met handschoenen, hoed, schoenen die ze bijna nooit droeg en waarboven haar dikke enkels uitbolden.

Waarom had dat uitgaan van de naaister hem zo lang beziggehouden? Ze kon op familiebezoek gegaan zijn, of naar een zieke vriendin, of haar ouderdomsrente halen. Al woonden ze reeds zo lang in hetzelfde huis, hij wist zo goed als niets van haar.

Sedert Jeannes dood ontweek Pierre hem. Hij was hem niet één keer komen opzoeken, en wanneer ze elkaar op de trap tegenkwamen begon

het kind opeens hard te lopen alsof het plotseling haast had.

Hij zag de oude vrouw niet thuiskomen.
's Avonds merkte hij dat ze thuis was want hij
hoorde het karakteristieke geluid van haar schui-
felende vilten pantoffels.

Eenmaal, toen ze dat geluid hoorde, dat even
licht was als het klapwieken van een vogel, had
Jeanne glimlachend gezegd:
— Onze goede geest die naar bed gaat!

Hij vermoedde tussen haar, juffrouw Couvert
en de knaap een vertrouw lijkheid, die ze hem
niet gevraagd hadden te delen, en wanneer
Jeanne van de derde etage naar beneden kwam,
waar ze vaak lange tijd bleef, dan vertelde ze
hem nooit waar ze over gesproken hadden.

Ook in het gebabbel tussen haar en Pierre
hoorde hij soms toespelingen op dingen waarvan
hij niet op de hoogte was. Hij had zich daar, in
die tijd, niet om bekommerd. Hij wist niets van
kinderen. Hij was een beetje bang voor ze, minder dan voor dieren, maar op dezelfde manier,
om dezelfde redenen misschien en hij had de
neiging om ze op een afstand te houden.

De dag nadat juffrouw Couvert uitgeweest
was, gebeurde er iets dat nog eigenaardiger was.
Even voor vieren ging de deur open op de derde
etage en er kwam iemand de trap af. Het was
niet mogelijk de stap van de oude naaister met
die van een der andere bewoners te verwarren.
Sedert haar ogen zo slecht waren deed ze nooit
meer dan twee stappen achter elkaar, aarzelend,

149

met de ene hand om de leuning geklemd, met de andere langs de muur tastend.

De trap was steil en met bochten waar de treden aan de ene kant heel smal toeliepen. Een andere oude vrouw die vroeger met haar man die even oud als zij was, op de vijfde etage woonde, was daardoor eens gevallen en had haar heup gebroken. Zij was er weer bovenop gekomen maar ze had meer dan een jaar in het gips gelegen en men had haar nooit weer teruggezien, want daarna had het gemeentebestuur haar in een tehuis voor ouden van dagen geplaatst.

Hij hoorde juffrouw Couvert haar twee treden afdalen, dan stilstaan, en weer twee treden verder komen. Toen, nadat ze het portaal voor zijn deur bereikt had, hoorde hij niets meer.

Het scheen hem een eeuwigheid te duren. Ze ging niet verder naar beneden. Ze klopte ook niet aan. Hij werd ongeduldig, nieuwsgierig, vroeg zich af of ze misschien niet goed geworden was toen hij haar weer weg hoorde gaan, terug naar de bovenverdieping.

Hij liep naar de deur, opende die, zag nog net een stuk van een donkere rok om de bocht verdwijnen.

Het was donderdag. Hij moest tot vrijdag, dezelfde tijd ongeveer, wachten voor hij de oplossing van het raadsel kreeg. Hij zat in zijn stoel ditmaal toen hij haar naar beneden hoorde komen en evenals de vorige dag voor zijn deur blijven stilstaan. Zou ze na kortere of langere tijd in het donker gestaan te hebben, weer naar boven terugkeren?

De stilte duurde een halve minuut en eindelijk werd er op de deur geklopt.

Hij ging onmiddellijk opendoen, werd getroffen door het ernstige gezicht van de oude vrouw. Haar gezicht dat altijd bleek was, had de uitdrukking van iemand die besloten heeft een belangrijke stap te doen en haar toilet hield het midden tussen wat ze twee dagen geleden droeg om naar de stad te gaan en het meer slordige toilet waarin hij haar gewoonlijk in huis zag lopen.

— Stoor ik u niet?

Argwanend, scheen het, keek ze rond of hij alleen was.

— Neen, zeker niet! Komt u binnen.

Hij maakte een gebaar naar zijn fauteuil die nog warm was maar zij schudde haar hoofd.

— Die is te laag voor mij. Ik zit liever op een gewone stoel.

Ze keek naar de witte muren, de tekeningen, de penselen die in glazen stonden, wierp toen een steelse blik door de halfopenstaande deur in de eetkamer die zo lang Jeannes domein geweest was.

Ze kende natuurlijk, van horen zeggen, het hele appartement in alle bijzonderheden, stellig ook de bijzonderheden van hun leven. Misschien was ze hier al eens geweest, terwijl hij weg was?

Ze wist blijkbaar niet hoe ze beginnen moest, vouwde haar handen over haar buik, wat er op scheen te wijzen dat ze voorlopig niet van plan was weer weg te gaan. Een mechanisme begon te werken, heel langzaam, liep tenslotte af, en ze bewoog haar kleurloze lippen.

— Het is niet voor mijn plezier dat ik hier gekomen ben, ik hoop dat u dat van mij wilt aannemen ...

Ze hield haar blik op het raam gericht terwijl ze sprak. Ze zweeg een ogenblik, alsof ze nog hoopte dat hij haar te hulp zou komen door vragen te stellen.

— Vermoedt u niet waarom ik hier kom?

— Neen.

— Dan had ze dus gelijk.

— Jeanne, bedoelt u?

Hij voelde niets van sympathie voor hem bij haar, integendeel. Het leek zelfs alsof het haar tegen de borst stuitte hem zo gemeenzaam over de dode te horen spreken.

— Als het niet was omdat ik, door mijn ogen, steeds minder klanten krijg en omdat eerstdaags de school weer begint ...

Hij meende te begrijpen dat het over een of andere geldkwestie ging maar hij was mijlen ver bezijden de waarheid. Toch had hij zich toen Jeanne nog leefde wel eens bepaalde dingen afgevraagd, maar vaag, zoals hij aan zoveel dingen dacht.

— Hij is nog weer gegroeid deze zomer en hij moet van zijn hoofd tot zijn voeten nieuwe kleren hebben ...

Hij had een standbeeld voor zich, een blok

152

steen. Ze maakte geen enkele beweging. Ook haar gezicht was nagenoeg volkomen in rust. Alleen de lippen bewogen van tijd tot tijd, na lange ogenblikken van zwijgen waarin ze star voor zich uit bleef zien.

— Nu zij er niet meer is om voor het nodige te zorgen...

Hij meende het te raden.

— Bedoelt u dat Jeanne u wel hielp?

Dat verbaasde hem niet. Alleen was er één duister punt: hij vroeg zich af waar Jeanne het geld vandaan haalde.

— Ja zeker! Het spreekt toch vanzelf dat ze me het kostgeld betaalde...

Ze keek hem met een harde en uitdagende blik aan.

— Ik had hem liever alleen grootgebracht, dat kunt u gerust geloven, en ik kom er niet voor mijn plezier met u over praten...

— Is Pierre dan...?

— Iedere vrouw zou dat onmiddellijk begrepen hebben. Als u niet altijd zo van uzelf vervuld geweest was, zoals alle mannen, dan zou u het ook begrepen hebben... Ik wilde er ook niet met ú over spreken, maar met mijnheer Jacques ... Ik ben bij de politie geweest, daarginds, in de Rue de Berry, waar ze het geval behandeld hebben, en ik heb geprobeerd zijn naam en adres te krijgen ... Maar dat hebben ze me niet willen geven...

Dat was het, waarom ze eergisteren haar beste japon aangetrokken had en op de hoek van de

Boulevard op de bus had staan wachten.

— Ik ben zelfs naar *Hôtel Gardénia* geweest. Ze waren heel beleefd maar ze zeiden dat het tegen de regels was om het adres van gasten mee te delen. Als ze me voor ze heenging maar gezegd had wat ze wilde dat ik doen zou . . .

Pierre was bijna tien jaar. Hij was dus anderhalf toen Jeanne in het leven van Jeantet gekomen was. Ze had hem nooit iets over het kind verteld. Ze had gewacht tot hij zes jaar was, de leeftijd dat hij naar school moest, om hem bij de oude naaister te laten komen, in het huis waar zij zelf ook woonde.

— Ik vraag me af waarom ze me nooit iets gezegd heeft . . .

Bijna hatelijk antwoordde ze:

— Omdat ze u als een soort Lieve Heer beschouwde en altijd in angst zat dat ze u zou tegenvallen of dat ze u verdriet zou doen! U was in haar ogen niet een gewone man zoals anderen en dat wist u wel, u deed alles om haar maar in die waan te laten. Zou u het kind bij u in huis genomen hebben?

Hij wist niet wat hij daarop moest zeggen. Hij vroeg zich af of hij van harte ingestemd zou hebben met de aanwezigheid van een derde in zijn woning, met alle complicaties die dat mee zou brengen. Het zou hem bijvoorbeeld onmogelijk geweest zijn, het leven van zijn broer Lucien te leiden.

Hij wist het werkelijk niet.

— Maar in bepaalde opzichten kende ze u heel

154

goed, gelooft u dat maar! Trouwens, ze wilde niet dat het kind wist dat zij zijn moeder was. Ze denken altijd allemaal hetzelfde. Ze verzinnen een verhaal, en brengen zichzelf daarmee in moeilijkheden, later ...

— Weet hij het nog niet?

— Ik heb hem verleden week de waarheid verteld.

— Waarom?

— Omdat ik voelde dat hij bepaalde vermoedens had en ik niet wilde dat hij daarmee bleef rondlopen.

— Wat heeft u hem nog meer verteld?

— Alles.

Ze keek hem uitdagend aan, als een vrouw die zich bewust is haar plicht te vervullen.

— Wat dacht u? Kinderen zijn heel wat wijzer dan de mensen denken, vooral in een buurt als hier! Ik heb hem verteld dat hij al geboren was voor ze u ontmoette, dat ze er nooit met u over heeft durven spreken ...

— Waar is hij geboren?

— In de kraamkliniek op de Boulevard de Port-Royal.

De inrichting waar zijn zuster Blanche werkte! Blanche had Jeanne misschien op haar zaal gehad, had haar verpleegd, had, wie weet, de pasgeboren baby aan de moeder laten zien.

Hij durfde niet alle dingen te vragen die in hem opkwamen en hij betreurde het dat de antwoorden op zijn vragen van deze vijandige oude vrouw moesten komen.

— Leefde ze alleen, in die tijd?

— Wel, wel, wat een nieuwsgierigheid opeens, nu het te laat is! Als u er zich eerder om bekommerd had, was er misschien niets gebeurd...

— Wat bedoelt u?

— Vindt u dat menselijk, om een vrouw te nemen en dan te eisen dat ze ineens geen verleden meer heeft?

Jeantets gezicht werd vuurrood, zoals die eerste avond op het politiebureau, toen het hem toescheen dat Gordes en hij verschillende talen spraken.

Men kwam bij hem om hem ervan te beschuldigen dat hij Jeanne ongelukkig gemaakt had, dat hij de oorzaak van haar dood was, terwijl hij juist jaren lang alleen maar om haar gezwegen had. Was hij daar werkelijk zeker van? De oude vrouw met haar strenge, ijzige blik, maakte dat hij aan alles begon te twijfelen.

— Ze leefde natuurlijk met een man, en ze verdiende haar kost in de buurt van het Gare Montparnasse, zoals ze dat later hier deed...

Ze wierp even een blik op het huis aan de overkant.

— Ze had het kind in de kost gedaan hier niet zo ver van de stad, de kant van Versailles uit. Dat kostte veel geld, want dat soort mensen maakt misbruik van zoiets. De man drong er op aan dat ze het kind bij Armenzorg zou brengen. Toen heeft ze bedacht dat als ze alleen was, ze alles wat ze verdiende zelf kon houden en dan genoeg had om voor haar kind te betalen.

156

Op een avond is ze weggelopen, want ze dacht dat als ze naar een andere wijk ging, hij haar niet terug zou vinden. Ze had zelfs een brief achtergelaten waarin ze schreef dat ze terug ging naar de provincie, dat hij haar niet hoefde te zoeken want dat ze toch nooit meer met hem samen wilde leven...

— Heeft zij u dat allemaal zelf verteld?

— Wie anders? Dacht u dat ze niet wist wat ze gedaan had, of dat je zulke dingen vergeet?

Zou Jeanne dat hem ook allemaal verteld hebben als hij ernaar gevraagd had of als hij een gunstiger klimaat voor confidenties voor haar geschapen had?

Ze had in de mening verkeerd dat hij niets wilde weten, dat hij haar zonder haar verleden wilde nemen.

— Hij had maar drie dagen nodig om haar te vinden en toen heeft hij wraak genomen door haar in haar gezicht te steken...

De Jeanne die hij bij zich in huis genomen had was dus een andere geweest dan hij zich voorgesteld had. Hij had met haar ook een andere taal gesproken, waardoor al hun gesprekken zinloos werden.

— Wanneer heeft ze u al die dingen verteld?

— Toen ze besloten had om haar jongen bij zich te nemen.

— Zag ze hem daarvóór nooit?

— Eénmaal per week, 's woensdags natuurlijk. Dan moest ze een taxi nemen, wat haar veel geld kostte, en zich erg haasten.

De woensdagmiddagen, wanneer hij zijn ronde deed, zoals hij dat noemde ... De Rue Fran-
çois-Ier, dan de Faubourg Saint-Honoré, met
mijnheer Nicollet, met zijn maagpillen, aan het
eind van de gang, tenslotte de correctiesteen op
de *Imprimerie de la Bourse* en de mannen in
hun grijze stofjas die druk bezig waren om hem
heen ... Die dag had voor Jeanne een andere
betekenis ... Ze moest de tijd vinden om zich
te kleden, daarheen te gaan in een taxi, zenuw-
achtig natuurlijk, weer terugkeren, en thuis hem
weer met een vriendelijk gezicht opwachten alsof er niets gebeurd was ...

Als Jeantets leven, zijn dagindeling, zijn werk-
zaamheden niet zo angstvallig precies waren
ingericht — hij was bijna een maniak in dat
opzicht — zou dat alles niet mogelijk geweest
zijn, dan zou het toch wel minstens één keer
voorgekomen zijn, dat hij vroeger thuis kwam,
haar niet thuis vond, noch in de winkels in de
buurt waar hij haar waarschijnlijk gezocht zou
hebben.

Hij kon het nog niet helemaal geloven, kwam
met tegenwerpingen.

— Maar het geld dan?

— Het geld! Ja, laten we het daar eens over hebben! U heeft haar het leven moeilijk genoeg
gemaakt met uw inhaligheid! ...

Dat was een valse beschuldiging. Hij was niet
inhalig, of gierig. Een bewijs daarvoor was dat
hij veel meer had kunnen verdienen wanneer hij
werk aangenomen had dat hij niet prettig vond.

Bij *Art et Vie* hadden ze hem een vaste betrekking aangeboden, die hem voor alle zorgen gevrijwaard zou hebben. Ook bij de *Imprimerie de la Bourse* had hij een goed betaalde baan kunnen krijgen, en bij minstens twee uitgevers eveneens.

Maar hij had zijn vrijheid, de stilte van zijn atelier niet prijs willen geven, het ietwat nonchalante leven dat hij in het afgesloten wereldje van zijn appartement leefde en waar hij altijd met Jeanne kon zijn.

Die wereld nu had alleen maar in zijn verbeelding bestaan, en nu kwam men over geld met hem spreken, hem zijn vrekkigheid verwijten.

— Ik gaf haar toch geld? . . .

— U gaf haar iedere morgen het geld dat ze u voor de boodschappen vroeg . . .

— Nu dan?

Het was juist uit kiesheid dat hij het geld dat hij 's woensdagsmiddags thuis bracht, in een la legde. De la was nooit op slot. Zij had er zelf uit kunnen nemen wat ze nodig had.

Toen hij in het begin kleren voor haar gekocht had, was ze verlegen, bedroefd geweest.

— Het lijkt altijd net of ik iets vraag. Ik ben maar een grote last voor je . . .

Ze gaf hem altijd het geld terug dat over was, stond er op hem rekening en verantwoording te geven.

— Vanmorgen heb ik de rekening van de bakker betaald en bij de slager heb ik voor vierhonderddrieënvijftig francs gehaald . . .

Dat had hij niet zo van haar geeist. Hij had het alleen maar aanvaard, uit fijngevoeligheid. Zij vreesde baatzuchtig te schijnen, hij meende te begrijpen waarom. Ze kocht voor zichzelf altijd het goedkoopste en ze besteedde met opzet weinig zorgen aan haar uiterlijk.

Hij had meermalen tegen haar gezegd:

— Ik houd van je zoals je bent, in je zwarte jurk, met die lok langs je wang, je lippen een beetje bleek...

Dat was niet omdat een opgemaakt gezicht hem weer aan het verleden zou herinneren. Zij hadden zich, volkomen te goeder trouw, in elkaar vergist.

En nu kwam een oude vrijster, die de liefde nooit gekend had, zich opwerpen als rechter, kwam Jeanne verdedigen, alsof ze uit haar naam sprak, hem beschuldigen van allerlei ondeugden.

— Ze moest wel knoeien... Een paar francs hier ... Een paar francs bij de slager... En toen Pierre naar het ziekenhuis moest om aan zijn blindedarm geopereerd te worden...

Daar had hij nooit iets over gehoord, hij keek de oude vrouw aan met grote angstogen want hij vroeg zich af wat er nog meer uit die bleke, wrede mond zou komen.

— Dat was voordat hij bij mij in huis kwam... Hij was toen nog buiten... Zij wilde hem niet op een kosteloze zaal hebben. Ik weet niet meer wat dat gekost heeft, maar het was verschrikkelijk veel geld...

Ze hadden al die jaren op enkele meters afstand van elkaar geleefd, zelden ging er een uur voorbij dat ze elkaar niet zagen, niet met elkaar spraken, en toch had zij met al die gedachten rondgelopen, problemen opgelost waarvan hij geen vermoeden gehad had.

— Hoe heeft ze dat dan gedaan?

— Kunt u dat niet raden? Ik had juist een japon van een klant die magerder geworden was, nauwer gemaakt, een zijden japon met blauwe bloemen, dat herinner ik me nog. In die tijd had ik nog goede ogen. Zij paste die japon. Hij stond haar of hij voor haar gemaakt was. Ze vroeg me of ze hem voor een middag mocht lenen. Toen ging ze naar de Rue Caumartin...

Op een woensdag!

— Daar schijnt een deftige kleine bar te zijn, naast een rendez-voushuis. In twee uur had ze genoeg verdiend om het ziekenhuis te betalen.

— En is ze daar nog wel eens heengegaan?

— Wat maakt dat voor verschil of ze er één keer naar toe geweest is, of tien keer of honderd? En wat maakt het zelfs voor verschil of ze er heen ging of niet? U was toch op de hoogte toen u haar vroeg om bij u te blijven? Ze heeft u toch niets wijs gemaakt?

Ze sprak evenals inspecteur Gordes. Zij had ook kunnen zeggen:

— Eén op de duizend... *En dan nog!*

— Ziezo! Nu bent u op de hoogte. Als het niet om het kind was, dat er niets aan kan doen, zou ik hier niet gekomen zijn en zou ik u niet in uw zelfvoldaanheid gestoord hebben...

161

Hij vroeg zich nogmaals in alle oprechtheid af of hij zoveel strengheid verdiende.
— En verder?
— Wat wou u nog meer weten?
— Alles.
— Weet u nog niet genoeg?
— Ik wil het helemaal begrijpen.
— Er valt niets moeilijks te begrijpen. Ze moest af en toe wel doen wat ze vroeger elke dag deed. Ze deed u niets te kort. Maar omdat de mannen er nu eenmaal bepaalde ideeën op na houden, had ze de moed om dat voor haarzelf te houden, de dingen in het geheim te doen en u niet te storen in uw zalige rust ...

Zalige rust! ...

Hij had de naaister altijd beschouwd als een bekrompen, ietwat suffe, oude vrijster; nu was hij plotseling geneigd aan te nemen dat zij allerlei dingen over hem wist die hij nooit vermoed had. En ze schepte er een boosaardig vermaak in die te verdraaien.
— Als ik het voor het kiezen had gehad, zou ik net als zij gedaan hebben en liever met mijnheer Jacques dan met u gesproken hebben ...
Hij moest een keer slikken voor hij kon vragen:
— Was die wél op de hoogte?
— Van wat?
— Van de jongen ...
— Híj betaalde het kostgeld sedert een jaar.

162

— Waar heeft hij haar leren kennen?

Hij vreesde dat hij nog te horen zou krijgen dat die man in zijn eigen woning geweest was.

— In de Rue Caumartin natuurlijk!

— Lang geleden?

— Ruim een jaar, heb ik u al gezegd ...

— En is ze er daarna niet meer teruggeweest?

— Waar?

— In de Rue Caumartin ...

— Waarom zou ze daar nog heengegaan zijn, hij betaalde immers alles voor haar? Hij heeft er genoeg op aangedrongen dat ze bij u vandaan zou gaan. Hij heeft een kamer voor haar gehuurd, ondergoed voor haar gekocht, en japonnen, die ze zelden droeg want wat voor gelegenheid had ze daar voor ...

Alles op die woensdagmiddag! Hij kwam vlak langs de Rue de Berry wanneer hij van de Rue François-Ier naar de Faubourg Saint-Honoré ging.

— Weet u ook wat voor iemand het is?

— Het is een echte heer, een zakenman. Hij rijdt in een grote gele wagen en hij woont de kant van het Bois de Boulogne uit.

— Is hij getrouwd?

— Ja zeker.

— Heeft hij kinderen?

— Twee. Vanwege die kinderen kon hij niet scheiden. Omdat hij in het ongelijk was zou de rechtbank de kinderen aan zijn vrouw toegewezen hebben, en hij wilde geen afstand van ze doen ...

163

— Had Jeanne wel willen scheiden?

— Dat heeft ze me nooit verteld. Ik geloof het niet, maar ik zou haar groot gelijk gegeven hebben als ze het gedaan had.

Hij was er niet zo zeker meer van dat die brief voor hem bestemd was. Hadden die mensen van de politie niet daarom tegen hem beweerd dat er geen brief in de kamer was, omdat er op de enveloppe een andere naam, een ander adres stond?

Daar zou hij wel achter komen. Dat moest hij absoluut weten. Hij was nu uit de mist en hij zou zijn vragen niet meer of dezelfde wijze stellen. Ze hadden hem onmogelijk kunnen begrijpen, dat was ook heel logisch, maar van nu af aan zouden ze een ander mens tegenover zich krijgen.

Al voelde hij zich nu nog diep geschokt, hij had de zekerheid dat hij er uit zou komen, dat hij er in slagen zou om de werkelijkheid in het gezicht te zien. Hij was al niet boos meer op juffrouw Couvert, die zich gedurende het hele onderhoud niet verroerd had en nog steeds met haar handen op haar buik gevouwen zat.

— En, wat bent u nu van plan, met de jongen?

— Weet hij dat u bij mij bent?

— Neen. Ik heb hem expres naar de bioscoop laten gaan. Gisteren ook, want toen ben ik ook naar beneden gekomen. Maar op het laatste ogenblik ...

— Waarom heeft u er niet met hem over gesproken?

— Omdat hij het anders misschien niet goed gevonden had.

— Heeft hij een hekel aan mij?

— Daarvóór was hij alleen maar jaloers...

— Maar hij wist toch niet dat Jeanne zijn moeder was, wierp hij tegen.

— Wat zou dat? Kan een kind daarom niet jaloers zijn? Na wat er gebeurd is, kan hij u niet meer zien...

— Denkt hij dat het mijn schuld is?

— Wie zijn schuld is het anders?

Hij was niet in de stemming om zich te verdedigen. Hij zou het onhandig gedaan hebben en hij had alleen maar de kans gelopen nog meer te bederven.

— Zegt u mij maar hoeveel mijn vrouw u betaalde... Ik zal u iedere maand hetzelfde bedrag geven...

— Dat zal niet genoeg zijn, nu hij zo groot geworden is en alles duurder wordt, kleren, hemden, en vooral schoenen...

— Ik zal betalen wat u mij vraagt.

Ze werd van haar stuk gebracht door zo'n gemakkelijke overwinning, evenals het geval geweest was met Jeannes ouders op het raadhuis. Ze keek hem plotseling aan met nieuwe nieuwsgierigheid die niet zonder achterdocht was.

Toch verontschuldigde ze zich op haar manier.

— Het is heus niet voor mijn plezier, dat ik u dat allemaal ben komen vertellen. Maar nu ik u om geld kwam vragen moest ik u wel de waarheid zeggen...

— Daar heeft u goed aan gedaan.

— Neemt u het haar kwalijk?

— Wie?

— Haar natuurlijk. Daar zou u toch verkeerd aan doen. Als ze zich niet altijd zo om u bekommerd had...

Het ergste was dat hij vaag besefte dat ze gelijk had.

— Een vrouw kan niet als een hond aan een touw leven...

Hij zag Jeanne ineens weer voor zich, duidelijker dan de laatste weken, in de eetkamer voor haar naaimachine, in de keuken, of in de deuropening, op een teken van hem wachtend.

Had ze niet acht jaar in het appartement geleefd als een huisdier dat van de ene hoek naar de andere loopt, gevoelig is voor de stemmingen van zijn meester, gespannen wacht op een liefkozing of een vriendelijk woord?

— Ik zou zo graag willen dat je gelukkig was!

Het vreemdste was dat hij hetzelfde zei, hetzelfde dacht. Irriteerde het hem niet op de duur, altijd zo angstvallig gadegeslagen te worden?

Dan vroeg ze hem, hoewel ze het antwoord wel wist:

— Waar denk je aan?

— Aan jou.

— Wat denk je dan?

— Ik zou er zo graag zeker van willen zijn dat je gelukkig bent...

Ze deed of ze moest lachen, of ze kwam naar hem toe en kuste hem op zijn voorhoofd. Was

166

dat wel eens op een woensdagavond gebeurd? Waarschijnlijk wel. Terwijl ze even tevoren naar de Rue Caumartin geweest was om het kostgeld van haar jongen te verdienen. Of, later, naar de Rue de Berry, naar de man die ze mijnheer Jacques noemde als ze over hem sprak met juffrouw Couvert.

Want met haar sprak ze wel over hem. Ze had er behoefte aan om met iemand over hem te praten. Niet met hem. Met de oude vrouw op de etage boven hem.

Ze sprak ook over Jeantet, maar over hem zei ze niet meer dan:

— Hij is zo goed!

Besefte ze niet dat hij niet goed was, dat hij ook maar een mens was?

Wat zou er gebeurd zijn als ze hem de waarheid bekend had? Hij had er niet het minste idee van. Hij had nu te veel ineens gehoord. Wat vaststond, was dat een bepaald instinct, diep in zijn binnenste, hem niet bedrogen had. Hoe vaak had hij niet een onbehaaglijk gevoel gehad, een gevoel van onwerkelijkheid, een gewaarwording of alles om hem heen wankelde?

Hij sloot zichzelf op tussen vier muren, sloot Jeanne op met hem, om zichzelf ervan te overtuigen dat ze allebei bestonden, dat ze een geheel vormden, dat hun leven echt leven was. Met de grootste angstvalligheid waakte hij ervoor dat de dingen altijd op hun zelfde plaats stonden, alsof die ook hun rol moesten spelen, dat de uren iedere dag op dezelfde wijze gevuld waren.

Zo kon er niets wegvloeien, dacht hij naïef.

Hij had zo, met ingehouden adem, een denkbeeldig bestaan opgebouwd en een oude vrouw had dat weggeblazen zoals men een kaars uitblaast.

— Voor de afgelopen maand . . .

— Neemt u mij niet kwalijk. Hoeveel krijgt u?

— Met de kleren mee die ik voor hem moet kopen, en de boeken die hij nodig heeft als de school weer begint . . .

Ze telde in zichzelf, noemde een bedrag, terwijl ze op zijn gezicht lette om te zien of hij het niet te veel vond.

— Jeanne wist wel dat ik nooit meer dan het strikt nodige van haar vroeg . . .

Hij zei niets, trok de la open, de la met het geld die sedert de beschuldigingen van de oude vrouw een ander aanzien gekregen had. Hij telde de bankbiljetten.

— Ik dank u uit naam van de jongen. Als ik het adres van mijnheer Jacques nog vind, zal ik u niet meer lastig komen vallen.

— Daar hoeft u niet meer naar te zoeken.

— Bedoelt u dat u voortaan altijd wilt betalen?

Hij knikte, liep met haar mee naar het portaal, trok een stoel weg waar ze zich bijna aan stootte. Ze keek niet meer om, begon met haar aarzelende tred de trap op te gaan.

Hij sloot de deur weer en dat gebaar had niet meer de betekenis van vroeger. Jarenlang was dat voor hem een symbolisch gebaar geweest, een soort van ritus, van bezwering. Hij liep de binnenplaats over, waar de lamp van de concierge brandde achter de vuile ruit, liep de trap op waar het altijd donker was, opende de deur zonder dat hij zijn sleutel hoefde te gebruiken, hoorde in een van de kamers Jeanne van haar stoel opstaan. Zelfs als ze niet bewoog wist hij dat ze er was, voelde hij haar aanwezigheid en als hij dan de deur weer sloot, was het of hij een schutsmuur oprichtte tussen hen en alles wat gevaarlijk, vijandig, dreigend is.

Dan waren ze tussen de muren alleen, slechts de gewone geluiden van de straat, die hen niet hinderden, drongen naar binnen, ze keken neer op de daken van de bussen en op de gehaaste voorbijgangers, die hen niets konden doen.

Wat hij dan dacht, wat hij in het diepst van zijn binnenste voelde, dat had hij nooit aan Jeanne verteld. Ook voor zichzelf had hij dat nooit onder woorden gebracht. Slechts één keer was het hem overkomen dat hij, toen hij in zijn fauteuil ging zitten en zijn benen uitstrekte, zuchtte:

— Wat is het goed hier!

Waren zijn gebaren niet welsprekend genoeg, de manier waarop hij het atelier binnenstapte, zijn hoed ophing, naar de beide tekentafels keek, naar de letters in Oostindische inkt aan de muren, naar Jeanne die haar naaiwerk of het koken onderbrak?

Toen hij klein was, in Roubaix, was er een bankbediende die altijd op dezelfde tijden uit huis ging en weer thuis kwam, dat scheelde nooit één minuut. Men zag hem op het trottoir aan de overkant voorbijkomen en op éen meter of twintig van zijn huis haalde hij zijn sleutel al tevoorschijn, die hij aan een glimmend kettinkje bij zich droeg.

Hij liep ook met grote stappen, bijna even langzaam als Jeantet, wat zijn gang iets plechtigs gaf. Hij liep met zijn hoofd rechtop, een onbewogen gezicht, altijd even kalm, en Jeantet had zijn moeder meer dan eens horen zeggen:
— Het lijkt wel of hij het Allerheiligste draagt ...

Misschien vond Jeanne ook wel dat hij er uitzag of hij het Allerheiligste droeg. Had juffrouw Couvert even geleden niet een tikje schamper gezegd dat zijn vrouw hem als een soort Lieve Heer beschouwde?

De Lieve Heer zat in zijn stoel gezakt. Die bankbediende was ook eens iets dergelijks overkomen: op een avond toen hij van kantoor naar huis ging en hij zijn sleutel al in zijn hand had, was hij languit op het trottoir gevallen, minder dan tien meter van zijn deur.

Er klonken vlugge voetstappen op de trap, het slaan van een deur op de verdieping boven hem. Pierre was terug van de bioscoop en zijn eerste zorg zou wel zijn in de keuken te gaan kijken wat ze aten.

Jeantet die naar de muur staarde, naar een letter van zijn onvoltooide alfabet, de *Jeantet*, waaraan hij al jaren werkte, sloot plotseling zijn ogen omdat zijn oogleden zo brandden.

Er was geen boosheid in hem, geen wrok,

misschien zelfs geen bitterheid. Zijn vingers ontspanden zich langzaam, sloten zich weer, ontspanden nogmaals en begonnen aarzelend en liefdevol het leer van zijn oude fauteuil te strelen.

III

Ditmaal was hij niet gekomen als iemand die nederig en onderdanig iets komt vragen en hij had niet meer dan een verstrooide blik over gehad voor de mensen die op de bank zaten te wachten, met zijn rug naar de muur die vol hing met officiële mededelingen. Hij sprak over de toonbank heen de dienstdoende brigadier aan, die de klachten stond aan te horen van een eenvoudig uitziende vrouw die met tranen in haar ogen vertelde hoe een bandiet — een kind, mijnheer!, ik weet zeker dat hij hoogstens 'veertien was! — haar tas uit haar handen gerukt had op de Grote Boulevards.

— Ik heb een afspraak met inspecteur Gordes, zei hij, het verhaal van de vrouw onderbrekend.

— Hij verwacht u. Loopt u maar door naar boven. U weet de weg?

Hij had van tevoren Gordes opgebeld, die niet verwonderd geschenen had. In het eerste vertrek, waar twee mannen op een schrijfmachine zaten te tikken en een Algerijn op een stoel zat te wachten, wees men hem op de deur van de inspecteurskamer, die hij zich nog heel goed herinnerde.

— Klopt u maar flink hard, want zijn raam zal wel openstaan.

Gordes had zijn jasje uitgetrokken en er stond een halfvol glas bier op zijn bureau.

— Komt u binnen, meneer Jeantet. Ik heb altijd wel gedacht dat ik u nog eens zien zou.

Hij deed geen moeite om de nieuwsgierigheid waarmee hij hem opnam, te verbergen, evenmin als hij zijn verbazing verheelde over de verandering die er in zijn houding gekomen was.

Jeantet vatte dat als een eer op, want hij had zelf het gevoel dat hij nu eindelijk de kinderschoenen volkomen ontwassen was. Hij bleef nog verlegen. Het was eigenlijk meer onhandigheid, ongewoonte, en hij durfde de mensen nog niet goed aan te kijken.

Maar het feit dat hij opgebeld had zei al heel wat en toen Gordes hem niets vroeg, ging hij recht op zijn doel af.

— Ik kom u een dienst vragen, een inlichting die ik nodig heb en die u mij gemakkelijk kunt verschaffen, terwijl dat mij praktisch onmogelijk is.

Er glom ironie in de ogen van de politieman, zonder onvriendelijkheid of sarcasme overigens.

— Het gaat om een naam, een adres. Begrijpt u wat ik bedoel?

Ditmaal fronste Gordes zijn wenkbrauwen, terwijl hij met zijn bruine wijsvinger zijn pijp stopte.

Jeantet vervolgde:

— Ik weet dat de voornaam Jacques is. Op het bureau in de Rue de Berry zullen ze me wel niets willen zeggen en in het hotel mogen ze geen adressen van gasten verstrekken.

— Bent u daar al geweest?

— Ik niet. Iemand anders.

— Op uw verzoek?

— Neen.

— Als u me eens vertelde...

— Een oude dame, die op de verdieping boven mij woont en bij wie mijn vrouw haar zoontje in de kost gedaan had...

Gordes wreef zich over zijn neus.

— Had ze dan een zoon?

— Ik heb het pas drie dagen geleden gehoord.

— Van vóór uw tijd?

— Ja. Hij is tien. Toen ik zijn moeder ontmoette had ze hem ergens buiten uitbesteed. Wist u dat niet?

— Zo ver was ik niet gegaan met mijn onderzoek. Het was maar een onbelangrijk gevalletje, zoals we er duizenden per jaar hebben. Er was geen enkele klacht ingediend. Wat ik niet begrijp, is dat u die naam en dat adres wilt hebben. En ik begrijp helemaal niet wat dat met het kind te maken heeft.

— Dat heeft er ook niets mee te maken.

— Nu dan?

— Ik moet die man spreken.

— Weet hij van het bestaan van dat kind af?

— Hij heeft het nooit gezien. Maar hij betaalt het kostgeld, sedert een jaar.

Gordes beet op het mondstuk van zijn pijp, met in zijn ogen een zekere voldoening, maar ook nog steeds een grote nieuwsgierigheid.

— Hoe bent u daar allemaal achter gekomen? Heeft die oude vrouw u ingelicht?

— Ja. Zij heeft het adres ook niet kunnen vinden en ze had geld nodig.

— Dat is ze toen dus aan u komen vragen, is het niet? En toen is ze aan het babbelen geraakt! Toen ík u een tiende, een honderdste deel vertelde, wilde u mij niet geloven.

— Het spijt me. Neemt u het me niet kwalijk ...

— En wat wilt u nu met die meneer?

— Hem zien, spreken.

— Waarover?

— Ik geloof dat die brief voor hem bestemd was.

— Gelooft u dan nog altijd aan die geheimzinnige brief?

— Ik weet dat uw collega's het nooit zullen toegeven, maar ik blijf ervan overtuigd dat Jeanne een brief achtergelaten heeft.

— Wilt u dan zo graag weten wat ze aan een andere man geschreven heeft?

Misschien begon hij te vinden dat Jeantet toch minder veranderd was dan hij eerst gedacht had. Hij keek hem nog wel steeds onderzoekend aan, maar het was meer de beroepsmatige belangstelling van iemand die een nieuw geval aan zijn collectie toevoegt.

— Waarom komt u juist bij mij?

Jeantet durfde niet de waarheid zeggen. Hij had gedacht dat de inspecteur hem die dienst zou bewijzen uit ijdelheid, om hem te laten zien dat hij nergens moeite mee had, dat zijn macht groter was dan men dacht, en ook uit nieuwsgierigheid, om te zien hoe het af zou lopen.

— De eerste keer toen u bij me kwam, wilde u mij niet geloven en keek u mij aan of ik een of andere bruut was die heiligschennis pleegde...

— Ik hoop toch dat u mij zult willen helpen.

— Bent u gewapend?

— Ik heb nooit in mijn leven een revolver gehad en ik zou niet eens weten hoe ik die gebruiken moest.

— Zweert u mij dat u geen gekke dingen zult doen?

— Ik zweer het.

— Komt u dan morgen op dezelfde tijd nog maar eens bij me aan.

Bij de deur stelde hij nog een laatste vraag.

— Heeft u dat oude mens nog geld gegeven?

— Ja.

— Tot morgen.

Jeantet was er van overtuigd dat hij niet meer op dezelfde manier liep, dat hij nu de voorbijgangers in het gezicht durfde te zien en dat zijn grote lichaam steviger, zwaarder was. Bemerkte niet zelfs de vrouw in de melkwinkel de metamorfose en keek ze hem niet met een verwonderde blik na toen hij haar winkel uitging?

Hij ging de volgende dag op de afgesproken tijd weer naar het bureau. Ook ditmaal liet men hem weer regelrecht naar boven gaan, maar hij moest een kwartier wachten in de eerste kamer omdat Gordes bezig was een winkeldievegge te verhoren. Hij zag haar toen ze naar buiten kwam. Ze leek een beetje op zijn werkster, mevrouw Blanpain, en ze was zo breedgeschouderd dat hij haar een ogenblik voor een verklede man aanzag.

— Komt u binnen, meneer Jeantet ... Ik ben tot uw beschikking ...

Hij ging zitten op de stoel die nog warm was, stak een sigaret op, wat een symptoom was, want dat zou hij een week eerder niet gedurfd hebben. Het raam dat openstond keek uit op een binnenplaats waar men twee politieauto's zag, waarvan er een op het punt stond weg te rijden met zes mannen die met stenguns gewapend waren. Er moest ergens een vechtpartij aan de gang zijn, of misschien een politieke bijeenkomst?

— Weet u nog wat u mij beloofd heeft?

Hij knikte.

Gordes had een papiertje in zijn hand, waar hij mee speelde.

— U moet mijn vraag niet verkeerd opvatten. Die man is getrouwd en bekleedt een vooraanstaande positie. Ik mag dus aannemen dat het niet uw bedoeling is om herrie te gaan maken?

— Ik wilde hem om een onderhoud vragen en hij mag zeggen waar dat zijn zal. Als u dat wilt kan het ook hier ...

— Daar is geen sprake van. Hij woont in Neuilly, het adres doet er niet toe, want u moet hem niet thuis opbellen of schrijven. Ik weet niet of zijn vrouw jaloers is en hem voortdurend in het oog houdt. Je kunt nooit voorzichtig genoeg wezen.

Jeantet knikte instemmend.

176

— Hij heet Beaudoin, Jacques Beaudoin, en hij komt uit het noorden, uit Lille als ik me niet vergis.

— En ik kom uit Roubaix.

— Dat weet ik. Hij heeft de leiding van een grote fabriek van elektronische apparaten, de SANEC, die voor het Departement van Oorlog werkt, zodat hij relaties met de regering heeft. Hij heeft fabrieken in verschillende delen van Frankrijk, hij gaat vaak naar het buitenland, vooral naar de Verenigde Staten, en hij is een week geleden thuisgekomen uit Boston.

— Was hij daar, toen ...

— Ja. Maar hij is van alles op de hoogte. Mijn collega Massombre is hem op zijn kantoor wezen opzoeken.

— Hebben ze het ook over mij gehad?

— Daar heeft Massombre mij niets van gezegd.

— Weet u nog altijd niets van die brief?

— Ze zweren dat er geen brief was. Wilt u dat nog steeds niet geloven?

— Neen.

— Dat is uw zaak. Als u kunt, komt u dan nog eens bij me aan als u hem gesproken hebt. Of als u liever heeft dat ik bij u langs kom ...

— U bent van harte welkom.

Was dat al niet flinker, reëler? Zijn vingers trilden niet toen hij thuis de hoorn opnam en een nummer draaide. Het hoofdkantoor van de SANEC was in de Rue Marbeuf, vlak bij de Rue François-Ier, vlak bij de Rue de Berry ook.

— Met de SANEC. Wie wilde u spreken?

— Mijnheer Beaudoin, alstublieft.

— Met wie spreek ik?

— Met Jeantet.

— Mijnheer Beaudoin is in conferentie en kan niet voor elf uur gestoord worden.

Het was nu tien uur. Hij probeerde niet te werken om de tijd te doden. Hij ging voor het raam staan, ging toen in zijn stoel zitten, luisterde een poosje naar de voetstappen van Pierrot, die zeker een nieuw spelletje bedacht had en die boven zijn hoofd heen en weer liep terwijl hij een zwaar voorwerp over de vloer sleepte.

Precies om elf uur draaide hij opnieuw het nummer in de Rue Marbeuf, hoorde dezelfde jonge, welluidende stem.

— Met Jeantet . . .

— Een ogenblikje, alstublieft . . . Ik zal even zien of de conferentie al afgelopen is . . .

Het duurde lang. Hij dacht al dat de verbinding verbroken was en stond op het punt de hoorn weer op het toestel te leggen toen een andere vrouwenstem eindelijk zei:

— Met de secretaresse van mijnheer Beaudoin. Met wie spreek ik?

Hij herhaalde, met een ietwat spottende glimlach:

— Met Jeantet.

Poogde men hem te intimideren door die gewichtigdoenerij? Híj was maar de man van Jeanne, de weduwnaar nu, een sukkel die men nooit gezien had.

— Ik verbind u door.

Iemand hoestte aan de andere kant van de lijn.
— Ja! Met wie?

Hij herhaalde, voor de derde keer minstens, maar hij wist dat de ander heel goed wist met wie hij te doen had:

— Met Jeantet.
— Zegt u het maar ...
— Ik zou u graag eens spreken. Ik bel u op om te vragen waar en wanneer dat mogelijk zou zijn.

In de stilte die volgde hoorde hij duidelijk een vrij zware ademhaling.

— U kunt de boodschap zeker niet per telefoon afdoen?
— Het is geen boodschap.
— Ik ben zeer bezet ...
— Dat weet ik. Maar het hoeft niet lang te duren ...
— Ja ... Op mijn kantoor gaat dat moeilijk ... Een ogenblik ... Even denken ... Kent u de bar van *Plaza*?
— Van *Hôtel Plaza*, op de Avenue Montaigne?
— Juist ... De bar is in het souterrain ... Om een uur of drie, half vier is daar geen mens ... Schikt u vanmiddag, om drie uur? ... Mag ik nog even mijn agenda raadplegen? ...

Hij was niet alleen in zijn kamer en Jeantet hoorde hem praten, tegen zijn secretaresse ongetwijfeld. Hij zei, zonder er om te denken zijn hand op de microfoon te leggen:

— Het zal in ieder geval niet lang duren ... Daar zal ik hem de kans niet voor geven ... Bel de gebroeders Morton even op om te zeggen dat ze

179

om vier uur komen... Nee, half vijf maar, voor alle zekerheid... Bent u daar, meneer Jeantet? ... Vanmiddag om drie uur dus, in *Plaza*... Vraagt u maar naar mij bij de barman...

Hij had het gevoel dat hij in twee dagen een grotere afstand afgelegd had dan in alle tijd die er sedert Jeannes dood verlopen was. Alles ging gewoon door, zonder één hapering. Het was zelfs niet nodig geweest verandering in zijn gewoonten aan te brengen. Hij had nog tijd om zijn maaltijd klaar te maken, te eten, zijn vaat te wassen, de boel op te ruimen en tenslotte zich wat op te frissen en een schoon overhemd aan te trekken.

Hij nam de bus op de hoek van de Boulevard, de zelfde die juffrouw Couvert genomen had toen ze naar het politiebureau ging, stapte halverwege de Champs-Elysées uit, vertraagde zijn pas toen hij op de Avenue Montaigne kwam want hij was een kwartier te vroeg.

Hij rookte veel. Dat was de enige verandering in zijn gewoonten sedert drie dagen. Hij telde zijn sigaretten niet meer en hij stak soms de nieuwe met het peukje van de vorige aan.

Hij vond het niet erg dat mijnheer Jacques, zoals hij hem voor zichzelf bleef noemen, de bar van een groot en deftig hotel had uitgezocht voor een onderhoud. Dat behoefde niet te zijn om hem van zijn stuk te brengen, maar omdat hij gedacht had dat ze daar rustig zouden kunnen praten.

In de hal vroeg een man in een grijs uniform

met een zilveren ketting op zijn borst en witte handschoenen aan, hem op beleefde en tegelijk autoritaire toon:

— Wat zoekt u, meneer?

— De bar.

— Die is gesloten om deze tijd.

— Ik heb er een afspraak met mijnheer Beaudoin.

— Aan het eind van de hal, de trap links ... Ik heb mijnheer Beaudoin nog niet langs zien komen ...

Hij liep langs de vitrines met vergulde lijsten, langs de smeedijzeren leuning naar beneden, vergiste zich, zag dames in een kapsalon zitten, ontdekte ten slotte een groot, donker en koel vertrek met een lage zoldering en diepe leren fauteuils.

Hij zag er niemand. Een licht gezoem verried dat de bar airconditioning had. Ergens achter de bar, waar een deur half openstond, hoorde hij geluiden van vorken en messen en nadat hij een paar maal gekucht had om zijn aanwezigheid kenbaar te maken, verscheen een jonge, blonde kelner in een wit jasje, die op de stille uren de barman blijkbaar verving. Hij had zijn mond vol, en sprak met een sterk Scandinavisch accent.

— Zoekt u iemand?

— Ik heb een afspraak met mijnheer Beaudoin.

— Vergist u zich niet in de tijd?

— Neen, om drie uur.

Een kleine klok tussen de flessen wees precies drie uur aan.

— Dan zal hij direct wel komen. Neemt u plaats.

Hij aarzelde welke fauteuil hij zou nemen toen een man binnenkwam, blootshoofds, met dun haar en met de bewegingen van iemand die het heel druk heeft.

— Meneer Jeantet, veronderstel ik?

— Ja.

— Gaat u mee? . . . Kijk, daar zitten we het beste, lijkt me, aan die tafel . . .

Hij wees op een hoek, ver van de bar. Hij ging zitten, sloeg zijn benen over elkaar terwijl hij de pijpen van zijn broek optrok, haalde een gouden sigarettenkoker met zijn monogram tevoorschijn.

— Rookt u?

— Graag.

Mijnheer Jacques gaf hem vuur met een aansteker die bij de sigarettenkoker paste en de beide mannen raakten elkaar bijna aan.

— Heb ik u laten wachten?

— Neen. Ik was hier nog maar net.

— Ik wilde u liever hier ontmoeten dan op mijn kantoor. U begrijpt, hoop ik, wel waarom.

— Ja zeker.

Beaudoin was slecht op zijn gemak en nam Jeantet tersluiks op, alsof hij niet goed wist wat hij van hem denken moest. Ze moesten ongeveer even oud zijn en ze waren geboren op enkele kilometers afstand van elkaar. De ene was gewend dat men zijn orders kwam vragen, dat men naar hem luisterde, en in deze omgeving was hij op zijn plaats. Toch was hij de meest nerveuze van de twee en hij was door het zwijgen van Jeantet van zijn stuk gebracht.

— Mag ik ook weten waarom u mij wilde spreken?

Hij bleef in het defensief. Misschien vreesde hij wel dat Jeantet chantage in de zin had. Misschien vreesde hij zelfs — evenals Gordes een ogenblik gedacht had, maar niet serieus — dat Jeantet gewapend was?

Hij was niet alleen zonder wapen, maar ook zonder boosheid terwijl hij met gespannen aandacht de man opnam met wie Jeanne iedere woensdag in de Rue de Berry samenkwam en die een jaar lang het kostgeld voor Pierre betaald had.

Hij moest een zeer druk leven hebben, de tijd vinden om, ondanks zijn zaken en de honderden mensen die onder hem stonden, in een restaurant te gaan lunchen en dineren, schouwburg en cabarets te bezoeken, mensen te ontvangen in zijn woning te Neuilly, naar Deauville of Cannes te gaan, in de herfst te gaan jagen, in zijn auto over de wegen te rijden en het vliegtuig te nemen zoals anderen de bus nemen.

— Hield u van haar? vroeg hij tenslotte.

Hij had die vraag niet van tevoren bedacht. Die kwam hem vanzelf op de lippen en hij hoorde zijn eigen stem of die van heel ver kwam, van een andere wereld.

De kelner bespaarde Beaudoin de moeilijkheid om daar antwoord op te geven.

— Wilt u iets gebruiken, mijnheer Beaudoin?

Beaudoin wendde zich naar Jeantet alsof deze zijn gast was.

— Cognac?... Likeur?...

— Een glas mineraalwater.

— En ik een glas vruchtensap, het geeft niet wat. En toen de kelner weg was:

— Was dat het wat u mij wilde vragen?

— Ik weet het niet... Neen... Ik had er vooral behoefte aan u te zien...

Nu hij hem gezien had meende hij het begrepen te hebben. Hij vroeg niettemin, bijna fluisterend, als met tegenzin omdat hij dat niet had willen vragen, maar het niet laten kon:

— Wat zei ze tegen u over mij?

— Ik weet niet of ik uw vraag goed begrijp, maar ze weigerde om bij u vandaan te gaan en ze wilde beslist niet dat u ooit de waarheid zoudt horen. Ze was erg bang om u verdriet te doen.

— Waarom?

Beaudoin begon tekenen van ongeduld te vertonen nu hij tot de overtuiging was gekomen dat de man van Jeanne niet gevaarlijk was.

— Omdat ze zich in haar hoofd gezet had dat u haar niet missen kon.

— Heeft ze u ook gezegd waarom?

— Staat u er werkelijk op dat ik uitvoeriger word?

— Neen. Ik wilde er alleen maar zeker van zijn dat ze er met u over gesproken had.

— Als dat kan voorkomen dat ons gesprek onaangenaam gaat worden, wil ik u wel vertellen dat ik niets van uw leven af weet, evenmin als van het hare...

— Zoudt u met haar getrouwd zijn?

184

— Als dat mogelijk geweest was... Dat is trouwens míjn zaak...

— Heeft ze u geschreven?

— Bijna elke dag.

Dat Jeanne in het geheim brieven postte als ze boodschappen ging doen, interesseerde Jeantet niet.

— Dat bedoel ik niet. Ik bedoel de brief die de politie u gegeven heeft.

— De politie heeft me helemaal geen brief gegeven... Dank je, Hans...

Hij nam een slokje vruchtensap. Jeantet voelde geen behoefte om van het ijskoude Vichywater dat voor hem gezet was, te drinken.

— Maar ze heeft toch een brief geschreven...

— Hoe weet u dat?

— Het kamermeisje heeft hem gezien... Een van de inspecteurs heeft hem in zijn zak gestoken...

— Massombre, die bij mij op kantoor geweest is?

— Dat geloof ik niet. Een andere. Ik denk inspecteur Sauvegrain.

— En was die brief voor mij?

— Ik dacht eerst dat hij voor mij bestemd was.

— En nu?

— Ik weet het niet meer. Ik begin mij af te vragen of ik geen gelijk had.

— Wilde u daarover een onderhoud met mij hebben?

Hij knikte instemmend maar zonder overtuiging.

— Is dat alles?

— Heeft ze u niets anders gezegd? Was ze erg ongelukkig bij mij?

Beaudoin nam een sigaret, dacht er dit keer niet aan er hem ook een aan te bieden, keek naar de klok boven de bar, werd kortaf, agressief.

— U wist zeker niet dat ze bijna stikte onder die zogenaamde goedheid van u, is het wel? Neemt u mij niet kwalijk, meneer Jeantet, maar dat u zo onnozel bent kan ik onmogelijk geloven. U *wilde* dat ze zich schuldig voelde, en beschaamd, en ellendig, omdat u het onder de ogen van een normale vrouw niet uitgehouden had . . .

Woede golfde in hem op, met gebalde vuisten zat hij in zijn fauteuil tegenover Jeantet die onbewogen bleef zitten, terwijl er zelfs een glimlach om zijn lippen scheen te zweven.

— Bent u dát hier komen zoeken? Of had u misschien gehoopt dat ik u beklagen zou en u vergiffenis vragen omdat ik u uw vrouw ontnomen had? U hebt haar niets gegeven, alleen maar alles van haar gevraagd. Begrijpt u dan niet dat een mens aan iets anders behoefte heeft dan de hele dag tussen vier muren te leven en te wachten tot iemand die aan andere dingen denkt, zich verwaardigt haar een teken te geven en haar verstrooid over haar hoofd te strelen?

Hij onderbrak zichzelf en uit zijn blik sprak de diepste minachting.

— Ik geloof dat u daar per slot van rekening behoefte aan had, dat iemand u dat eens zei. U bent niet alleen maar impotent. U bent een soort van monster en nu, op dit moment zelfs, bent u

zo voldaan over uzelf dat u met een verrukt gezicht zit te kijken. U moest in levenden lijve de
man zien die uw vrouw elke week ging opzoeken
omdat haar behoefte om te leven sterker was
dan alles, dan haar medelijden, dan...
— Zei ze dat: medelijden?
— Zoëven had ik er spijt van dat ik gekomen
was. Nu ben ik er heel blij om. Misschien had
ik de laatste tijd ook een beetje medelijden...

Jeantet zat nog steeds onbewogen en het was
ontroerend hem daar zo onbeweeglijk te zien
staren, in een fauteuil die de zijne niet was, in
een vreemde omgeving, naar een man van wie
hij door een hele wereld gescheiden werd.

Hij vroeg met rustige stem:
— Heeft u aan het kind gedacht?

Dat was voldoende om de ander te kalmeren.
— Ik blijf natuurlijk betalen. Het is mogelijk dat
dat deze maand nog niet gebeurd is, doordat ik
op reis geweest ben. Dat moet ik aan mijn secre-
taresse vragen...
— Ik heb zijn kostgeld betaald.
— Dat zal ik u terugbetalen.
— Neen. Het gaat niet om het geld.
— Als ik goed begrijp waar u heen wilt, dan moet
ik u zeggen, dat het voor mij, in mijn situatie,
met mijn gezin, absoluut onmogelijk is...
— Dat weet ik wel. Maar voor mij niet.
— Dat wil dus zeggen...?
— Niet direct, omdat de jongen eerst met die
gedachte vertrouwd moet raken... Hij moet er
langzamerhand aan wennen... En dan...

187

Beaudoin wist niet goed wat hij ervan moest denken. Hij begon zich opeens af te vragen of hij zich niet vergist had, of hij niet helemaal mis geweest was.

— Bent u van plan om hem te adopteren?

— Ja.

— Ik zie niet in hoe ik u dat zou kunnen beletten.

— Dat kunt u ook niet.

— Heeft u mij verder niets mee te delen?

— Neen. Behalve dat Jeanne in Esnandes begraven is.

— Dat weet ik. Ik weet ook dat u er niet bij geweest bent.

— En u?

— Ik ook niet. Maar dat is iets anders. Bovendien was ik in Boston.

— Dat is zo ...

Beaudoin was opgestaan en na een laatste blik op Jeantet, die in zijn stoel was blijven zitten, liep hij naar de bar.

— Zet de consumpties maar op mijn rekening, Hans.

— Jawel, mijnheer Beaudoin.

Het was afgelopen. Bijna afgelopen. Voor de rest moest Jeantet nog bijna een maand wachten, want hij wilde niet naar de derde etage gaan. Hij wachtte tot juffrouw Couvert het kostgeld kwam halen.

Ze kwam precies op de laatste dag naar beneden, klopte aan zijn deur.

— Neemt u me niet kwalijk, maar het is de dertigste en ...

188

— Komt u binnen, juffrouw Couvert. Het geld ligt klaar.

Hij was weer veranderd sedert de vorige keer en ze begon zich ongerust te voelen.

— Gaat u zitten.

— Ik kom nu maar even, want straks komt Pierre uit school . . .

— Ik wilde het juist over hem hebben met u . . . De laatste tijd heb ik, als ik hem op de trap en op straat tegenkwam, mijn best gedaan om hem te temmen en hij wordt al wat vriendelijker . . .

— Ja, u heeft hem een cowboypistool gegeven, is het niet, en een doosje kleurpotloden . . . Heeft hij ook niet een paar maal een ijsje van u gekregen?

— Hij heeft al niet meer zo'n hekel aan me . . .

— Wat heeft u met hem voor?

— Langzamerhand zal hij het wel gaan begrijpen . . .

— Wat moet hij gaan begrijpen?

— Dat ik geen vijand van hem ben en dat ik ook geen vijand van zijn moeder was . . . Dat hier eenmaal zijn plaats zal zijn . . . U hoeft niet te schrikken, nog niet direct . . . Ik zal hem voorlopig nog bij u laten.

— Wat vertelt u me nu?

— Dat ik van plan ben hem te adopteren. Ik heb er al met inspecteur Gordes over gesproken . . .

— En gaf die u gelijk?

— Hij was eerst nogal verbaasd maar later begreep hij het toch wel en hij zal me helpen bij de formaliteiten.

189

Ze kon haar oren niet geloven, haar ademhaling ging sneller.

— Dus, na de moeder...

Ze keek naar de muren om zich heen, alsof het
de muren van een gevangenis waren, alsof het
appartement een soort van val was waarin
menselijke wezens gevangen werden.

— Maar wat wilt u in vredesnaam met hem beginnen? riep ze opeens ten einde raad uit.

— En u? Weet u wel dat er behalve mij niemand
is om het kostgeld te betalen?

Ze moest zich gewonnen geven. Even later
sleepte ze zich de trap op onder het mompelen
van onverstaanbare woorden.

Hij sloot de deur weer. Hij was alleen, maar
niet voor lang meer, en in plaats van in zijn stoel
te gaan zitten liep hij naar een van de tekentafels om aan zijn onvoltooide alfabet te gaan
werken, de letter die eenmaal de *Jeantet* genoemd zou worden.

In een klein appartement in de omgeving van
de Place des Ternes was mevrouw Sauvegrain,
een klein dik vrouwtje met blond haar en kuil-
tjes in haar wangen, bezig met het weghangen
van zomerkleren die pas het volgende jaar weer
gedragen zouden worden. Sommige waren van
de wasserij teruggekomen, andere van de stome-
rij en ze ging na of er nergens knopen af waren,
voelde machinaal in alle zakken.

Zo kwam het dat ze uit een lichte broek die
haar man enkele weken achtereen niet gedragen

had, iets tevoorschijn haalde wat een enveloppe geweest was. Het was nog slechts een geelachtige massa die hard geworden was en men kon vaag zien dat er op geschreven was. Enkele letters hadden het stomen overleefd.

H.TEL G..DE..A

Ze dacht direct aan *Hôtel Gardénia* want toen haar man na een onderzoek in een hotel, waar een vrouw gestorven was, thuisgekomen was om koffie te drinken, had ze tegen hem gezegd:
— Ga je even verkleden voor we aan tafel gaan
... Er hangt een lijkenlucht aan je kleren...

Er zaten bruine vlekken op de broek en ze herinnerde zich zelfs dat ze haar man een douche had laten nemen voor ze schoon ondergoed en een ander pak voor hem uit de kast gehaald had.

Ze vroeg zich af of ze hem van haar vondst zou vertellen. Tenslotte besloot ze dit niet te doen, want ze vond dat hij zich toch altijd al zo druk maakte over zijn werk.

Zo kwam inspecteur Sauvegrain, die aan alles gedacht had behalve aan die broek, er nooit achter wat er met die brief gebeurd was.

En Jeantet bleef er onkundig van dat hij gelijk had, dat Jeanne wel degelijk geschreven had, dat het ongetwijfeld voldoende geweest was de brief te lezen om alles te begrijpen.

Maar had hij dat nodig gehad?